SEXO

Dados Internacionais de Catalogação na Publicação (CIP)
(Câmara Brasileira do Livro, SP, Brasil)

Gikovate, Flávio
   Sexo / Flávio Gikovate. – São Paulo : MG Editores, 2010.

ISBN 978-85-7255-064-2

1. Conduta de vida 2. Homens - Comportamento sexual
3. Mulheres - Comportamento sexual 4. Sexo (Psicologia) I. Título.

10-06634   CDD-155.3

Índice para catálogo sistemático:
1. Comportamento sexual : Aspectos psicológicos   155.3

Compre em lugar de fotocopiar.
Cada real que você dá por um livro recompensa seus autores
e os convida a produzir mais sobre o tema;
incentiva seus editores a encomendar, traduzir e publicar
outras obras sobre o assunto;
e paga aos livreiros por estocar e levar até você livros
para a sua informação e o seu entretenimento.
Cada real que você dá pela fotocópia não autorizada de um livro
financia o crime
e ajuda a matar a produção intelectual de seu país.

SEXO

Flávio Gikovate

MG EDITORES

SEXO
Copyright © 2010 by Flávio Gikovate
Direitos desta edição reservados por Summus Editorial

Editora executiva: **Soraia Bini Cury**
Editora assistente: **Salete Del Guerra**
Assistente editorial: **Carla Lento Faria**
Capa: **Alberto Mateus**
Projeto gráfico e diagramação: **Crayon Editorial**
Impressão: **Sumago Gráfica Editorial**

MG Editores
Departamento editorial
Rua Itapicuru, 613 – 7º andar
05006-000 – São Paulo – SP
Fone: (11) 3872-3322
Fax: (11) 3872-7476
http://www.mgeditores.com.br
e-mail: mg@mgeditores.com.br

Atendimento ao consumidor
Summus Editorial
Fone: (11) 3865-9890

Vendas por atacado
Fone: (11) 3873-8638
Fax: (11) 3873-7085
e-mail: vendas@summus.com.br

Impresso no Brasil

# Apresentação

Acompanho os acontecimentos relativos à sexualidade desde 1966, ano da minha graduação na faculdade de Medicina. É difícil imaginar outro período de tempo assim curto no qual tenham ocorrido tantas mudanças na forma de agir de populações inteiras. Assisti ao início da comercialização das pílulas anticoncepcionais e aos movimentos libertários que, no ano de 1968, atingiram diversos pontos do planeta e influenciaram a forma de viver de toda uma geração de jovens. Muitos deles, antes mais bem-comportados, aderiram ao consumo de drogas como a maconha e a cocaína; mais recentemente, cresceu enormemente o consumo de álcool por parte dos moços e principalmente das moças. Não desconsidero os fatos capazes de gerar desdobramentos mais positivos que também têm acontecido. É o caso, por exemplo, do número cada vez maior de moças que se aprofundam intelectualmente com o objetivo de se tornar profissionais independentes. Considero um fato positivo a troca descompromissada de carícias – o "ficar" – entre rapazes e moças da mesma classe social e da mesma faixa etária. Também aprecio as mudanças na iniciação sexual de tantos rapazes que agora preferem se manter castos até o primeiro namoro, condição na qual as moças também costumam perder a virgindade sem culpa ou vergonha.

Acho apenas que é preciso separar o que vem se mostrando construtivo do que tem trazido desdobramentos ruins. Acompanhei as primeiras ações relacionadas com a chamada libertação sexual, especialmente a feminina. As mulheres ganharam plena liberdade para exibir o corpo, o que provocava o fascínio de tantos homens e a ira de alguns deles. Acreditávamos que a maior liberdade para as atividades eróticas traria mais paz e amor – e menos guerras – para a sociedade. Isso não aconteceu.

Mais recentemente, tenho assistido à revolução nos costumes eróticos – e até românticos – introduzidos pelo aumento da importância do universo virtual: o crescimento da indústria pornográfica, o fascínio dos rapazes pelos estímulos visuais de todo tipo, tão ao gosto deles, a tendência de muitos deles à indolência e ao desinteresse pelos estudos e pelas próprias moças "reais". Percebo até que ponto a vida sexual dos casais tem sido influenciada pelo que assistem nos filmes eróticos. Não vejo isso com bons olhos. Por outro lado, é fácil perceber que a masturbação vem ganhando uma "dignidade" que antes lhe era negada, e talvez isso possa gerar reflexões interessantes.

O mais triste para aqueles que, como eu, apostaram nas ideias que vigoraram nos últimos anos da década de 1960, e também na seguinte (tão bem fundamentadas por autores de respeito, como H. Marcuse e W. Reich, entre outros), é verificar que todos esses acontecimentos só têm contribuído para uma maior insatisfação de grandes segmentos de nossa sociedade. Estamos cada vez mais deprimidos, infelizes, competitivos, materialistas e consumistas.

Não sei se podemos atribuir a tristeza que nos assola apenas ao que vem ocorrendo no plano da sexualidade. Porém, tudo indica que a premissa de que a emancipação sexual criaria condições para que fôssemos mais felizes, mais amigos e solidários, mais competentes para amar, não se mostrou verdadeira na prática.

Ideias que não se confirmam quando aplicadas à realidade deveriam ser abandonadas, mas não é isso que costuma acontecer. Aliás, é incrível como todas essas alterações não vieram acompanhadas de mudanças efetivas na forma como a maioria de nós – incluam-se aí os profissionais de psicologia – pensa. A prática é outra e a teoria continua a ser a mesma!

Até hoje, a maior parte das pessoas não consegue, por exemplo, separar o sexo do amor e reconhecer que eles são impulsos distintos. Aprendemos que fazem parte do mesmo instinto e essa crença se perpetua quando os fatos a negam, inclusive nas mentes intelectualmente preparadas. São poucos os espíritos "porosos" capazes de abandonar antigas concepções, conviver com dúvidas e gerar novas ideias que sejam mais adequadas para explicar os fatos. Se já é difícil afastar o sexo do amor, mais difícil ainda parece ser aproximá-lo da agressividade; a dificuldade persiste mesmo quando se está diante de evidências flagrantes, tanto de caráter biológico (no mundo primitivo, os machos mais violentos certamente tiveram mais competência para copular as fêmeas) como culturais (a presença, em tantas línguas, dos palavrões, termos eróticos para designar máxima violência verbal).

Sou daqueles que acreditam que o conhecimento precisa estar a serviço da melhora da qualidade de vida, da felicidade individual e de avanços na delicadeza e no prazer que possamos extrair das relações interpessoais em geral e das mais íntimas em particular. Belas teorias que não sejam capazes de dar conta desses objetivos deveriam ser abandonadas e substituídas por outras que nos ajudem a avançar na direção de um saber capaz de contribuir para o nosso bem-estar.

Essa é a razão deste livro, que traz de volta o tema das minhas primeiras reflexões. Considero essencial essa retomada, uma vez que os desdobramentos das convicções que tínhamos são extremamente negativos. A suposta libertação sexual acabou por intensificar tudo aquilo que pretendia combater. É como se tivéssemos enveredado por um caminho que está nos conduzindo para o abismo. Precisamos ter a humildade e a sabedoria de reconhecer que convém começarmos tudo de novo, a partir do zero. É essa a razão do título tão abrangente – sexo. Essa é a minha pretensão.

Sei das dificuldades que todos enfrentamos quando deparamos com pontos de vista muito diferentes daquele que costumamos defender. Sei quanto é difícil mudar nossos paradigmas e que é grande a nossa propensão a gostar de ler exatamente aquilo que corresponde aos nossos pontos de vista. Apesar disso, espero que você, caro leitor, tenha paciência de me acompanhar nessas reflexões que, segundo penso, podem proporcionar uma nova forma de encarar a questão sexual. Apesar de tantas publicações, acho que ainda falta muito para que possamos considerar o sexo um tema bem equacionado. Meu propósito é contribuir para isso com uma nova perspectiva. O assunto é espinhoso e difícil, mas tentei escrever o que penso de forma clara e direta.

Sexo

1
um

Meu objetivo desta vez é começar tudo de novo. Acredito que as reflexões acerca da questão sexual tomaram rumos equivocados e por isso mesmo têm desembocado em becos sem saída. Assuntos bem resolvidos costumam sair de pauta, indo para segundo plano. Nossa alma se ocupa essencialmente do que vai mal. Quando estamos doentes, pensamos prioritariamente nas dores que sentimos e nos meios de recuperarmos a saúde. Seu retorno é saudado com grande alegria, nos provoca enorme prazer (prazer chamado de negativo por corresponder ao fim de uma dor) e logo em seguida volta a ser assunto menos relevante. A doença é tema muito importante em nossa subjetividade, enquanto a saúde não o é.

O sexo tem propriedades especiais em decorrência de ser um prazer positivo, ou seja, não necessita de um desconforto preliminar para se manifestar. Podemos estar em repouso e, de repente, ser despertados pela agradável sensação de excitação. Porém, não é só por essa via que o tema nos ocupa. Ele é motivo de enormes preocupações, ou seja, temos dúvidas a respeito da nossa competência, de sermos ou não capazes de

Flávio Gikovate

agradar eventuais parceiros, de estarmos à altura dos padrões que a sociedade cultua acerca de nossa aparência física, da frequência das relações, das dimensões dos órgãos sexuais etc.

As preocupações vão muito além das anteriormente registradas. Sempre queremos saber se estamos desfrutando adequadamente desse que é tido, hoje em dia, como o grande prazer da vida, se "os outros" estão se saindo melhor do que nós em suas abordagens e conquistas eróticas, qual a importância de termos experiências múltiplas com parceiros variados, se devemos ou não nos masturbar com a frequência que o fazemos, se os prazeres que sentimos no toque de determinadas zonas do corpo são "normais" ou indicação de alguma tara, se devemos tentar realizar nossas fantasias relacionadas às práticas sexuais grupais, e assim por diante.

Conheço pouquíssimas pessoas satisfeitas com sua vida sexual, com a sensação de que não estão perdendo nada ao viver como vivem. Sim, porque os anseios da grande maioria das pessoas costumam ir **além das possibilidades reais: nem todas as circunstâncias que determinam o surgimento do desejo propiciam condições para sua realização.** Aliás, são poucas as pessoas satisfeitas com o que têm em todos os quesitos muito valorizados pela cultura contemporânea. Quase todas se queixam de sua aparência física, da condição social e financeira, do ritmo de trabalho – ou da falta dele –, do fato de estarem envelhecendo e terem de conviver tanto com os sinais externos correspondentes, como com as crescentes limitações alimentares, alcoólicas, entre outras.

Estamos numa época em que cresce o número de adultos com características infantis relacionadas com a baixa tolerância a frustrações, contrariedades e limitações. Eu diria que a maior dificuldade é a de lidar com limitações, com o fato de não termos nascido com todas as virtudes. Mais do que nunca penso numa frase de Bertrand Russell, cuja referência perdi, que dizia que a única coisa de que as pessoas não reclamavam era da falta de bom-senso – o qual ele considerava a propriedade mais escassa.

O sexo também enveredou por todos os meandros dessas rotas que passaram a avaliar quantitativamente nossas ações e a satisfação que sentimos. Quase todos têm a impressão de que os outros usufruem mais desse prazer que eles, sim, estão satisfeitos com suas práticas eróticas. Isso porque temos forte tendência a não gostar de nos sentir por baixo, de modo que amplificamos nossas eventuais conquistas. Sabemos que estamos mentindo, mas os "outros" creem que estamos mesmo muito mais bem colocados do que eles. Isso era prática usual na adolescência, mas agora parece ter se estendido para todas as idades. Nessa busca da eterna mocidade, na qual parece ser proibido envelhecer, andamos para trás cada vez mais e estamos nos tornando adultos com propriedades infantojuvenis!

Para mim está clara a necessidade urgente de retomar do zero as reflexões acerca da sexualidade e de

aprimorar a maneira como pensamos a vida e a condição humana. Isso porque os resultados da forma atual de refletir têm produzido consequências muito negativas, aumentando a cada dia o número de pessoas deprimidas e infelizes, frustradas, mesmo quando vivem em condições privilegiadas. Isso porque vivemos num mundo de comparações no qual quase todos olham para os que têm mais e se entristecem com o que lhes falta – em vez de alegrar-se com o que têm. Não existem copos "meio cheios", todos estão "meio vazios".

Não desconsidero as correlações entre o que acontece com nossa sexualidade e o que vivemos no contexto social como um todo. Sei o peso da vaidade, esse importante ingrediente do instinto sexual, sobre os anseios de destaque que todos temos. Observei o que aconteceu ao longo das últimas décadas: aumento do exibicionismo – especialmente o feminino – e acirramento da disputa entre os homens, das mulheres entre si e de todos pela conquista de mais e mais dinheiro, fama e poder. Não acho tudo isso uma coincidência, uma casualidade.

Vou tentar, aos poucos, reescrever aquilo que tem sido um dos objetos prioritários das minhas observações e reflexões desde 1967.

2
dois

Quem quiser pensar com seriedade sobre a sexualidade precisa, antes de tudo, despojar-se de todo tipo de ideia preconcebida. Isso é muito difícil, uma vez que o sexo sempre foi, ao longo da nossa história, um dos temas mais regulamentados. Figuras interditadas (incestuosas) existem em todas as sociedades. Exigências relacionadas com a fidelidade sexual das mulheres eram essenciais para a garantia de paternidade. Em outras palavras, e como pensava Freud, algum tipo de limitação (repressão) do pleno exercício dos anseios eróticos tem sido característica indispensável para o estabelecimento de qualquer tipo de organização social. **Vivemos uma época em que os limites impostos à sexualidade são mínimos em comparação com o que acontecia seis décadas atrás. O tabu que impunha a virgindade feminina até o casamento evaporou poucos anos depois do surgimento da pílula anticoncepcional.** A independência econômica das mulheres criou condições favoráveis para que elas se separassem de cônjuges tiranos – ou pouco interessantes. O divórcio foi formalizado na legislação de quase todos os países, de modo que a discriminação das pessoas sozinhas praticamente não existe mais – e a elas é facultado o direito de uma vida sexual bem mais livre. Os crimes passionais vêm se tornando bem mais escassos sem que isso signifique diminuição de vivências extraconjugais (até pelo contrário). **À primeira vista, a impressão é a de que os preconceitos diminuíram muito. Pode parecer que estamos vivendo uma época de libertação do ponto de vista do sexo. Porém, se considerarmos mais alguns aspectos, constataremos que isso não é bem assim: quantas famílias conseguem não se preocupar com a virilidade dos filhos varões que sejam mais delicados e não apreciem esportes competitivos como o futebol?** Quantos pais aceitariam que seus filhos com grande habilidade para a prática de exercícios corporais harmoniosos se dedicassem a estudar balé? Quantos homens se sentem confortáveis se, durante a troca de carícias com uma parceira nova e valorizada, não experimentar uma ereção? E quantas mulheres vão ousar dizer aos seus novos amantes que não sentem prazer orgástico durante a penetração vaginal e gostam mesmo é da estimulação – manual ou oral – do clitóris? Quantos homens se sentem confortáveis para pedir a suas parceiras que estimulem sua zona anal? E quantas mulheres não vão interpretar isso como sinal de que pode haver um traço homossexual em seu parceiro?

A lista de perguntas poderia ser bem mais extensa, mas já é suficiente para perceber que ainda falta muito para nos livrarmos dos preconceitos que circulam em torno do sexo e de sua prática. Quantas pessoas, homens e mulheres, terão coragem de "confessar" que preferem a masturbação à troca de carícias eróticas com parceiros casuais – e, por vezes, até mesmo com aqueles com quem mantêm um relacionamento afetivo estável? Ainda vivemos uma era em que a troca de carícias é vista como mais agradável e relevante que a masturbação, mas a internet e o material erótico que nela circula têm colocado em cheque esse ponto de vista. **Fatos novos deveriam obrigar as pessoas a rever suas posições. Porém, quantos se dispõem a isso?**

Somos criaturas conservadoras, de modo que tendemos a nos apegar a velhos pontos de vista e a rejeitar tudo que é novo. Agimos assim com os novos equipamentos eletrônicos. Fazemos o mesmo com nossas crenças, com os pensamentos que recebemos prontos de nossos pais (que não raramente também os herdaram dos seus pais). Em um assunto tão regulamentado como o sexo, são poucas as pessoas que pensam de forma livre, que produzem ideias próprias. Algumas crenças vêm de longe, fruto da tradição religiosa e dos preconceitos mais arraigados. Outras são mais recentes, vindas, por exemplo, do pensamento psicanalítico que se estabeleceu ao longo do século XX.

Freud e os primeiros psicanalistas ousaram e confrontaram os dogmas vitorianos geradores de grande sofrimento para um enorme número de pessoas. Libertaram muitas daquelas que se sentiam culpadas pelo simples fato de ter desejos eróticos considerados indevidos.

Flávio Gikovate

Porém, esses psicanalistas criaram novos dogmas – ou consolidaram alguns dos antigos – que têm sido obedecidos cegamente por seus seguidores. Assim, sexo e amor continuam a ser entendidos como parte do mesmo impulso instintivo (afinal de contas, qual a definição de instinto?). Fala-se em desejo sexual do menino pela mãe, embora todas as manifestações da criança para com ela sejam de ternura e dependência. Fala-se em bissexualidade constitucional com o intuito de explicar a existência da homossexualidade; numa época tão livre como a nossa, os adultos que praticam a bissexualidade não deveriam ser majoritários? Por que os heterossexuais masculinos ainda são tão preconceituosos e temem tanto qualquer tipo de intimidade física com um parceiro do mesmo sexo? Homossexuais padecem de igual preconceito e também temem a aproximação com parceiros do sexo oposto. Por quê?

Embora nunca se tenha praticado tanto o sexo, pensado tanto a respeito do tema, produzido tanto e tão variado material erótico, parece que ainda estamos bem longe de qualquer tipo de esclarecimento mais consistente acerca do assunto. Precisamos nos livrar das crenças tradicionais que limitam nossa forma de pensar de maneira por vezes imperceptível. Temos, mais que tudo, de nos livrar dos supostos conhecimentos científicos definitivos colecionados ao longo da primeira metade do século XX. É fundamental compreendermos que todo saber é historicamente determinado e que esse novo momento propicia boas

condições para repensarmos o tema. As mudanças que têm ocorrido, tão rápidas em tantos assuntos – inclusive no que dizem respeito às relações íntimas –, criam habilidades interessantes para que observemos de uma nova perspectiva muitas das questões que nos são essenciais.

Certa vez, uma educadora me disse que o fato de não estarmos com a mente supercontaminada com conhecimento e informações nos deixa numa condição muito criativa. Ela chamou esse estado de "ignorância criativa". Acho que já estive mais livre para pensar do que hoje, posto que, de certa forma, sou escravo das ideias que tenho produzido graças à ignorância que me caracterizava quando iniciei minha carreira de psicoterapeuta. Aprendi com os meus clientes, com o trabalho que venho exercendo prazerosamente ao longo de mais de quarenta anos. Tentarei me despojar ao máximo dos conceitos que já construí a respeito da questão. Peço a você, leitor atento, que faça o mesmo e tente me acompanhar nesta aventura pelo mundo desconhecido do sexo.

Penso cada vez mais na urgência, tanto teórica quanto prática, de distinguirmos amor de sexo. Amor é o sentimento que temos por uma criatura especial cuja presença nos provoca a agradável sensação de paz e aconchego – tão bem-vinda porque atenua aquela relacionada com o desamparo que nos acompanha desde o primeiro instante da vida extrauterina. A harmonia uterina se rompe com o parto, dando origem à sensação de incompletude que nos acompanha para sempre. Ao ser acomodado no colo materno, o neonato experimenta sensação similar àquela vivida no "paraíso" do qual foi expulso. Assim, seu primeiro objeto do amor é a mãe. **O amor corresponde, pois, a um prazer negativo – relacionado com a atenuação da dolorosa sensação de incompletude e desamparo. Equivale à sensação de paz e harmonia e depende essencialmente da presença de outra pessoa. Trata-se, portanto, de fenômeno interpessoal por excelência. Desse ponto de vista, não existe amor por si mesmo.**

    Nas fases posteriores da vida, a mãe tenderá a ser substituída por outras figuras. Porém, o fenômeno mantém suas características básicas, similares às que se manifestam desde os primeiros dias. Amor por si mesmo, amor-próprio e autoestima são termos completamente distintos. O primeiro não descreve um fato real; o segundo está relacionado com a vaidade – que, nesses casos, também costumamos chamar de orgulho; o terceiro corresponde ao juízo que fazemos de nós mesmos, sendo, pois, um fenômeno intermediado pela razão e dependente de um código de valores já incorporado.

O sexo segue uma rota totalmente distinta da que descrevi. Suas primeiras manifestações são um pouco mais tardias e aparecem pelo fim do primeiro ano de vida. Elas são concomitantes com a percepção inicial de que a criança e sua mãe não são a mesma pessoa ("nascimento psicológico"). Nessa fase, a criança tenta conhecer ao máximo tudo que a cerca e também a si mesma. Coloca o que pode na boca para sentir o gosto, toca objetos e a si própria. Constata que o toque de certas partes do corpo provoca sensações e vibrações muito agradáveis – é um tipo de desequilíbrio sentido como prazeroso. O desequilíbrio prazeroso será depois chamado de excitação sexual; as partes do corpo que o determinam correspondem às zonas erógenas.

A descoberta do sexo, pela criança, é parte do processo de conhecer a si mesma e ao mundo que a cerca. Trata-se, pois, de fenômeno relacionado com os primeiros passos na construção da própria individualidade. Acontece sem a interferência de outras criaturas. A excitação sexual é, então, produto de uma atividade individual, tendo sido, por isso mesmo, chamada de autoerótica. Sexo é, pois, excitação e não paz; é prazer positivo porque não depende da existên-

Flávio Gikovate

cia de um desconforto prévio a ser atenuado por suas manifestações (como acontece com a criança que está chorando sozinha e se regozija quando a mãe se aproxima dela) e é fenômeno essencialmente pessoal.

Levando em conta esses três elementos – ser ou não fenômeno interpessoal, ser prazer positivo ou negativo, e tipo de sensação que provoca –, fica fácil constatar que sexo e amor não só não são a mesma coisa, como nem fazem parte de um único fenômeno instintivo. Estão mais que tudo em oposição! Não espanta, pois, que a conciliação desses dois ingredientes de nossa subjetividade aconteça, mesmo na fase adulta, com alguma dificuldade.

Fico me questionando a respeito das razões que levaram tantos e tão extraordinários estudiosos da psicologia humana a cometer equívoco tão grosseiro. Do pouco que conheço, os pensadores religiosos (de todos os credos e de todos os tempos) sempre viram o amor com bons olhos, o mesmo não acontecendo com o sexo. A ideia de limitar sua prática às necessidades reprodutoras parece ser marcante na forma de pensar deles, o que indiretamente implicava tentativas de restringir sua influência ao mínimo necessário. Suponho que atribuíam à liberdade sexual o poder de desorganizar a vida familiar (vista como essencial) e gerar condutas totalmente inconvenientes para o bom andamento da vida em sociedade. Em algum momento das páginas seguintes ficará claro que suspeito que não estavam totalmente equivocados.

É possível que tanto empenho em reprimir os impulsos dessa ordem tenha mesmo determinado dois fenômenos simultâneos: o primeiro seria o aumento de sua importância relativa, passando a ser tema de fantasias e devaneios da grande maioria das pessoas; o segundo estaria associado com a produção de distúrbios psíquicos e sintomas somáticos nas pessoas que foram menos competentes para gerenciar e controlar suas fantasias. Foi exatamente num período desses, mais especificamente no final do século XIX e início do XX, que Freud desenvolveu suas ideias. Estas não podiam deixar de ter um caráter libertário, ou seja, de tentar afrouxar as repressões que pesavam sobre o sexo.

Até aí acompanho com facilidade. Agora, atribuir um caráter erótico – relacionado com a presença de um óbvio desejo sexual – aos fortes vínculos afetivos que as crianças, especialmente os meninos, têm pela mãe me parece algo que, caso exista, está no domínio das exceções e não da regra. O menino sente intenso amor pela mãe e quer se aproximar dela para se sentir acolhido e aconchegado. Mesmo ao sugar o seio materno não experimenta sensações eróticas, e sim de natureza amorosa. A oralidade freudiana me parece essencialmente sentimental, ao menos durante a infância. Isso, sim, está de acordo com o que se pode observar.

Dessa forma, o mais provável é que a aliança entre sexo e amor, transformando este último em uma versão sublimada (adocicada e mais grandiosa) do primeiro, tenha decorrido de ponderações teóricas, mais que dos fatos que se podem constatar. Compreendo perfeitamente

a presença dessa tendência à acomodação das ideias para que elas formem um corpo de conceitos coerentes. O que não aceito é que se faça isso em prejuízo dos fatos reais. Estes têm de falar mais alto. Quando uma menina sente algum tipo de excitação sexual ao pular com as pernas abertas sobre a coxa do pai, isso não significa a presença de desejo por ele. Significa apenas que sua zona erógena principal foi estimulada em decorrência de seus movimentos. Se estivesse pulando sobre o braço de um sofá, sentiria exatamente o mesmo! Nem por isso cabe pensar que ela esteja sentindo desejo sexual pelo sofá.

De todo modo, o que de mais relevante aconteceu ao longo dos primeiros anos da psicanálise foi, a meu ver, a capacidade de Freud (e de muitos de seus seguidores) de atribuir a devida importância ao fenômeno sexual. Trata-se de um dos temas mais intrincados de nossa subjetividade. As mudanças ocorridas especialmente a partir da década de 1960 (graças, entre outras razões, ao surgimento da pílula anticoncepcional) só reforçam sua importância para a vida pessoal e social de todos nós. Temos aprendido também, do meu ponto de vista, que conhecemos muito pouco sobre esse assunto – e ainda precisamos caminhar bastante para achar que sabemos ao menos o essencial acerca de como se processa a sexualidade em nossa espécie.

quatro

Quero agora tratar de mais um aspecto básico que considero fundamental: a diferenciação entre excitação e desejo. **O que se costuma chamar de "desejo" se transformou em peça-chave das reflexões contemporâneas acerca da sexualidade – e da nossa subjetividade em geral. Mais uma vez acontece algo perigoso, qual seja, o uso de termos genéricos aplicados sem precisão.** É evidente que não conseguimos saber com facilidade o que está na mente de cada pessoa com a qual tentamos nos comunicar, de modo que é essencial a busca da máxima clareza para que todos estejam ao menos tentando o entendimento. Qualquer tipo de "dialeto" será sempre impróprio ao estudarmos os grandes temas relacionados com as peculiaridades humanas, seja do ponto de vista da psicologia, da filosofia, da sociologia, da antropologia etc. O elitismo é prejudicial à compreensão e também isola aqueles que, não sendo especialistas, anseiam por entender melhor a si mesmos e a seus semelhantes, e deveriam exercer o importantíssimo papel de observadores críticos.

Proponho definir o desejo como um anseio de se aproximar ou se apropriar de alguém ou de um objeto

externo a nós.[1] **No caso do desejo sexual, o objetivo seria o de se achegar ao outro no intuito de estabelecer a adorável troca de carícias capaz de produzir as descargas correspondentes à ejaculação ou ao orgasmo feminino. Desejo tem de ser diferenciado de necessidade: quando um bebê chora e pede pelo colo, está se sentindo mal por algum motivo e necessita da aproximação materna para atenuar, por meio do aconchego, a sensação de desamparo que tanto o desespera.**

É evidente que a diferenciação entre desejo e necessidade não é tão estrita, de modo que uma criança pode querer colo mesmo quando não se sente mal. Pode achar gostoso o aconchego. Porém, na origem, trata-se de um prazer negativo, algo que existe para atenuar algum tipo de mal-estar. O mesmo acontece com a necessidade de se alimentar: ela poderá, graças à interferência da razão, se transformar em desejo (talvez o termo mais adequado fosse "vontade"; porém, na prática, não costumamos fazer essa diferenciação) de determinado alimento preparado de maneira pitoresca. A sede pode ser saciada com água – necessidade –, mas também com sucos e refrigerantes de gosto especial – desejo construído que tem como base uma necessidade. Os desejos desse tipo são criações culturais que

---

1 Segundo os estudiosos da língua, "desejo" se distingue, de forma sutil, de "vontade". Este último é um termo mais genérico e abarca várias manifestações psíquicas que podem resultar em ações de aproximação que, via de regra, foram objeto de algum tipo de ponderação racional e mesmo de reflexão moral. O desejo corresponderia a ações mais espontâneas, autônomas.

sofisticam necessidades orgânicas, aquelas essenciais à nossa sobrevivência.

O desejo faz parte do domínio do facultativo, enquanto a necessidade corresponde ao que é obrigatório. Construímos desejos sobre necessidades, porém o essencial continua sendo a resolução destas últimas. O desejo sexual corresponde, pois, ao único que é genuinamente biológico, próprio e espontâneo em todos nós. Uma boa parte dos desejos materiais é produto de cada época e cultura. Derivam de nossa inteligência e criatividade e poderão com facilidade se acoplar aos de natureza erótica. Tratarei disso logo em seguida.

Durante a infância não há manifestações evidentes da presença de desejos eróticos. Porém, é bem frequente observar crianças tocando suas zonas erógenas a fim de sentir aquela inquietação agradável que chamamos de excitação sexual. Excitação não é o mesmo que desejo, pois desejo implica um objeto. Para que excitação e desejo pudessem ser tratados da mesma forma, a única saída seria atribuirmos a qualidade de objetos a nós mesmos. Seríamos sujeito e objeto de nossa excitação sexual, transformada assim em sinônimo de autodesejo. Não simpatizo com essa linha de reflexão, que me parece parte de um malabarismo intelectual desnecessário. Já me referi ao fato de que, separado o amor do sexo, também não convém pensarmos em desejos eróticos das crianças em relação aos pais. Onde existe necessidade não me parece adequado pensar em desejo – a não ser aqueles, já referidos, produzidos culturalmente.

Assim, creio ser essencial distinguirmos dois tipos de manifestação erótica, não só durante a infância como também nas ponderações relativas à vida adulta. **A excitação sexual corresponde a um fenômeno interno que acontece em nós mesmos – desencadeado ou não por pensamentos que envolvem outras pessoas. O desejo sexual determina uma ação em direção ao objeto. A partir da puberdade, é claro o surgimento do desejo sexual masculino: os rapazes são estimulados visualmente pelas formas, caras e bocas das moças.** Isso acontece quando elas são objetos reais, quando eles observam uma foto insinuante ou quando imaginam ou rememoram situações ligadas ao corpo feminino em posições ou disposições eróticas. Falo, é claro, do que acontece no universo heterossexual. Entre os homossexuais o objeto do desejo é o corpo de pessoas do mesmo sexo. Não faltarão oportunidades para nos referirmos a esse aspecto importantíssimo da sexualidade humana.

Excitação acontece no universo da subjetividade e não implica objetos externos. É algo que ocorre em si mesmo, um fenômeno essencialmente pessoal sem relação direta com o desejo. Não determina nenhuma atitude ativa. **Mesmo na vida adulta, não se observa de modo claro, ao menos como regra, a presença de desejo sexual nas mulheres. Elas são o objeto do desejo dos homens – que estão sempre atentos aos seus gestos, aos detalhes do seu corpo, ao que conseguem ob-**

servar furtivamente das suas partes íntimas. Elas percebem isso muito bem e se excitam pelo fato de se sentir desejadas. A sensação de ser objeto do desejo é muito prazerosa e naturalmente será buscada ativamente ao longo dos anos. Porém, não se observa, ao menos na maioria delas, a obsessão por determinadas partes do corpo deles. Mesmo quando apreciam certos detalhes, não creio que sintam os mesmos sinais de excitação próprios do desejo masculino. Convém registrar que o desejo também implica excitação. Porém, desencadeada claramente por um objeto externo do qual se pretende a proximidade máxima e buscada de forma ativa – e, por vezes, até mesmo inconveniente.

Até poucos anos atrás era grande a frustração da maioria dos homens por não serem desejados da mesma forma que desejavam. Isso gerava raiva, revolta e grande inveja das mulheres. Considero essa a raiz do machismo, recurso masculino que sempre tentou minimizar sua condição de inferioridade sexual por meio da maior força física e de uma suposta superioridade intelectual. Isso está em via de superação, de modo que não cabe ponderarmos muito profundamente a esse respeito. A frustração masculina hoje vem se atenuando porque muitas mulheres, mesmo não sentindo o desejo equivalente, são mais ousadas em suas iniciativas de aproximação.

Considero precipitado pensarmos que isso esteja relacionado com um desejo feminino reprimido ao longo dos séculos. Não seria da conveniência masculina ter impedido algo que tanto ansiavam. O que fizeram foi exatamente o contrário: proibiram as mulheres de se exibir! No limite, estavam autorizadas apenas a andar com os olhos à vista – e isso por força da mais absoluta necessidade. O que tem acontecido é que os homens estão mais indolentes e menos escravos do desejo que sentem. Já elas têm tomado iniciativas mais eficientes para criar condições de aproximação, hoje mais ansiadas por elas do que por eles. Não me refiro tanto à aproximação erótica, que sempre foi mais do interesse masculino, mas àquela de natureza sentimental (ainda que travestida em abordagem sexual).

Durante a infância, só observo excitações sexuais. Mesmo quando existe troca de carícias entre dois meninos, duas meninas ou um menino e uma menina, tudo leva a crer que estejam apenas imitando o que observam ser parte do universo adulto. É certo que pode existir alguma curiosidade acerca do funcionamento da sexualidade – e dos órgãos sexuais – dos eventuais parceiros, sempre casuais; porém, não creio que isso defina qualquer tipo de desejo ou mesmo subtraia o caráter autoerótico desses procedimentos sexuais que se caracterizam por um tipo de interação bastante superficial.

Ao longo da vida adulta, dois ingredientes relevantes perturbam a observação dos fenômenos sexuais. O primeiro deles corresponde às alianças que esse impulso instintivo estabelece com os fenômenos essencialmente interpessoais, quais sejam, a agressividade e o amor.

Flávio Gikovate

O outro corresponde ao já citado surgimento do desejo visual masculino, que dá uma aparência de forte interatividade a um processo que, ao longo da infância, não se manifestava dessa forma. O desejo visual não costuma estar presente nas mulheres, de modo que nelas observamos fortes manifestações de excitação ao se perceberem desejadas. Apesar de todo o discurso crítico dos anos 1970 e 1980, tudo leva a crer que as mulheres gostam – e muito – de ser vistas como objetos sexuais!

Sintetizando o que foi abordado até aqui, podemos dizer que somos movidos por necessidades e também por desejos – intermediados pela razão e produzidos pela cultura – que se acoplam a elas. O amor faz parte do universo das necessidades. O sexo tem como principal expressão, ao menos durante a infância, a excitação, que é fenômeno pessoal e se manifesta em si mesmo. Numa primeira fase, trata-se de um prazer essencialmente táctil, derivado da estimulação – direta ou intermediada por um parceiro – das zonas erógenas. Com a puberdade, surge o efetivo desejo sexual masculino, vontade de se achegar e roçar naquele corpo feminino que provocou o desejo; o objetivo é esvaziar a enorme excitação que surgiu em decorrência do que viu e também do que sentiu pelo contato direto com as zonas erógenas da mulher.

A inexistência do desejo visual feminino define uma condição privilegiada, na qual elas se excitam ao perceber que são objeto do desejo masculino. São desejadas e não desejam da mesma forma, de modo que estão em melhores condições de decidir criteriosamente quais homens acolherão e quais rechaçarão. A eles cabe a condição humilhante de ter de se submeter a essa forma de exame de seleção.

Por outro lado, as mulheres se excitam ao se perceber desejadas, e é claro que podem se entristecer – e muito – quando isso não acontece. Esse tipo de prazer não é distribuído de forma democrática, de modo que as menos atraentes se frustram e vivem a dor derivada de não realizar a enorme vontade de também ser desejadas! A vontade de provocar o desejo nos remete à questão da vaidade, ingrediente erótico que será avaliado em seguida.

cinco

Não se pode estudar seriamente a sexualidade humana sem levar em conta esse curioso ingrediente que nos acompanha desde os 5 ou 6 anos de idade: um enorme prazer em chamar a atenção das pessoas que nos cercam e atrair olhares de admiração. **Ao ser bem-sucedida, a criança experimenta sensação equivalente àquela do toque das zonas erógenas, talvez um pouco mais difusa: uma excitação generalizada percebida como muito agradável. Como toda sensação prazerosa, existe uma tendência, intermediada pela razão, de tentar reproduzir situações similares a fim de que o prazer experimentado se repita.** Se a criança consegue olhares de espanto e admiração diante do primeiro relógio que colocou no pulso, é muito razoável esperar que ela deseje ganhar outros adornos capazes de produzir a mesma deliciosa excitação que deriva da reação de admiração dos circundantes – sendo irrelevante quem sejam eles.

Tal prazer erótico de se exibir pede destaque, diferenciação da maioria. Durante a infância, o anseio de fazer parte dos grandes grupos (família, colegas de escola, vizinhos etc.) predomina amplamente sobre o de-

33

sejo de se destacar. Este último está sempre presente, mas só se manifesta de forma pontual. Ou seja, a necessidade de se sentir integrado – e por isso mesmo aconchegado – predomina sobre o desejo de destaque.

As manifestações da vaidade são, pois, discretas, e o exibicionismo muitas vezes se manifesta no domínio da fantasia: rapazes e moças, principalmente estas últimas, usam vestes próprias de adultos e fazem poses extravagantes no espelho do quarto. Conseguem imaginar o impacto que causariam, mas não ousam agir assim diante de observadores reais. **As ações que praticamos diante do espelho podem ser consideradas equivalentes da masturbação para assuntos relativos à vaidade.**

Chega a puberdade e, com ela, os anseios eróticos adultos. Os rapazes querem aproximar-se fisicamente daquelas que lhes despertam o forte desejo visual. As moças percebem que é esse o desejo deles e que a presença dos rapazes não lhes provoca tamanho impacto. Sentem-se extremamente excitadas ao se dar conta de como estão sendo cobiçadas; porém, não sentem o mesmo. Acabam por aceitar a abordagem daqueles rapazes mais insistentes, que costumam ser justamente os mais agressivos e grosseiros. Havia, pois, certa lógica na tradicional tese masculina – e bem machista – de que as moças, quando devidamente assediadas, correm o risco de ceder a tentações indevidas!

Mesmo sem sentir desejo, o fato é que a excitação intensa derivada do fato de ser cobiçadas deixa as moças frágeis, e se elas não tiverem autodomínio podem,

de fato, perder o controle. Ao compreender melhor o processo, entretanto, elas vão se familiarizando cada vez mais com a intensidade de sua excitação e temem cada vez menos o descontrole. Aos poucos, se livram do medo. **Com a perda do medo, surge a vontade de provocar cada vez mais o desejo de um número crescente de rapazes. Sim, porque isso estimula nelas o prazer exibicionista da vaidade, agora acrescido de um enorme componente de excitação sexual bem definido. O prazer erótico difuso derivado do exibicionismo infantil ganha contornos bem mais concretos e tem por objetivo o exibicionismo do próprio corpo, não raramente enfeitado com adornos especiais capazes de provocar ainda mais o desejo dos rapazes (e dos homens em geral).**

A partir desse ponto, a razão passa a participar mais ativamente dos mecanismos relacionados com a nossa sexualidade. Nada em nós é exclusivamente biológico, assim como são raros os procedimentos culturais que não contêm algum ingrediente próprio da nossa biologia. Somos mesmo seres biopsicossociais, e seria um grosseiro reducionismo querermos subtrair a importância de qualquer das nossas características. A razão sofre a influência da biologia e também da cultura; com base nelas, toma decisões próprias, mas na maioria dos casos a influência principal deriva das crenças culturais em vigor.

Hoje, o padrão cultural é o do máximo exibicionismo feminino. Desde o fim dos anos 1960, faz parte das

ideias relacionadas com os movimentos de emancipação das mulheres – derivadas da crescente independência econômica delas e também do surgimento da pílula anticoncepcional – o direito de se portar da forma que bem lhes aprouver. **O direito masculino, exacerbado pelas religiões tradicionais, de controlar a forma e os limites do exibicionismo feminino caiu por terra, ao menos no Ocidente.**

As mulheres podem exercer livremente sua vaidade, que é dominada pela vontade de se excitarem ao provocar o desejo masculino. Elas podem fazer uso de todos os recursos conhecidos com este intuito: cuidar do corpo, do peso, da pele e dos cabelos. Para tanto, são estimuladas por uma publicidade que sempre promete melhores resultados no processo de sedução. Passam, assim, a desejar os objetos capazes de aumentar seus poderes: sapatos provocantes, trajes de praia que exibem o máximo do corpo bem trabalhado pelos exercícios físicos praticados com o máximo afinco, roupas de noite decotadas que exibirão seus seios recém-"reformados", e assim por diante. **Não desejam os homens, mas se excitam muito ao provocar o desejo deles, de modo que anseiam pelos objetos e recursos capazes de aumentar o prazer que deriva do bom resultado aos olhos deles. Surge assim um enorme apetite consumista pouco conhecido há algumas décadas – em parte até por falta de objetos a ser consumidos.**

A vontade de comprar adornos capazes de ativar ainda mais o desejo masculino é um importante fator de excitação para as mulheres. Elas sentem atração por tais objetos, ou seja, querem se apropriar deles, tê-los próximos do corpo. É evidente também que o desejo de aquisição de bens de consumo transbordou de longe esse aspecto da nossa psicologia, de modo que foram agregados bens que definem *status* e condição social, tais como bolsas, relógios e outros objetos que provocam pouco interesse nos homens – mas despertam a inveja das outras mulheres. Certamente temos assistido a um significativo aumento do consumismo também por parte dos homens, empenhados em uma disputa que envolve principalmente os chamados "bens de posição", aqueles que definem sua "classificação" na escala social. O tema é muito complexo; não cabe a mim discuti-lo, nem é esse o momento de levá--lo às últimas consequências.

A condição masculina é bastante diferente da das mulheres. Elas estão conquistando territórios, ao passo que eles estão um tanto perplexos e acuados. São muito provocados por elas, que se beneficiam de toda a parafernália elaborada com o intuito de torná-las ainda mais atraentes. Ao longo dos anos 1980, quando o processo se tornou mais evidente e intenso, buscaram o sucesso profissional a fim de neutralizar o crescente poder sensual feminino. Utilizaram, pois, a fórmula tradicional: mulheres atraentes tendiam a ceder ao assédio dos homens poderosos, que se empenharam ao máximo para se tornar poderosos quando ainda jovens. Essa fase, extenuante e terrível para os homens, trouxe consigo talvez um período de crescimento da economia e também do número de bens de consumo à disposição de um crescente número de pessoas. As mulheres reagiram e passaram a participar de forma ainda mais ativa do mercado de trabalho, a ponto de hoje serem maioria nas universidades, ao menos no Ocidente.

Os rapazes mais jovens, os que se tornaram adolescentes a partir dos anos 1990, sofreram a influência de uma grande e inesperada novidade que se chamou de "ficar": rapazes e moças da mesma idade e classe social passaram a trocar carícias eróticas de forma singela e descompromissada. A partir daí, eles se tornaram menos dispostos a dar continuidade ao tradicional jogo no qual o poder econômico e social era masculino e o poder sensual, feminino. Também passaram a buscar o aprimoramento físico e, assim como elas, vêm se submetendo a horas e horas de exercícios nas academias de ginástica – que são encontradas a cada esquina e frequentadas por um crescente número de pessoas. Também buscam cremes para a pele e a lipoaspiração. Tornaram-se um tanto indolentes com os estudos, pois não veem mais com otimismo a hipótese de ter sucesso com as mulheres por essa via. Sempre as desejaram, e esse foi o objetivo de seus esforços na direção do sucesso financeiro. É claro que também competem entre si pela magnitude do sucesso – e essa disputa pode ter sido, em muitos casos, bem mais relevante e ultrapassado de longe os limites do que seria necessário para a conquista erótica. Outra vez paro por aqui, já que se trata de terreno muito difícil de ser percorrido por alguém com a minha formação específica.

Um fato recente que tem me chamado a atenção é o seguinte: a existência do desejo visual nos rapazes pode estar a serviço de afastá-los das moças. Isso porque os avanços tecnológicos têm propiciado a eles um farto material erótico de acesso fácil e livre na internet.

O universo virtual tem crescido de forma radical ao longo dos últimos vinte anos, de modo que os estímulos visuais de natureza erótica – de enorme intensidade – estão à disposição de quem quiser. O universo virtual é muito mais atraente para os rapazes do que para as moças, posto que são eles os que se excitam com os estímulos visuais. Talvez estejamos, em consequência dessa variável inesperada, assistindo ao aparecimento de fenômenos de extrema relevância para o futuro das relações interpessoais nas décadas que estão por vir. Retomarei esse assunto fundamental quando estivermos de posse de mais alguns dados que eu gostaria de colocar.

Por ora, mais uma síntese do que venho descrevendo: somos constituídos de necessidades e desejos naturais. A satisfação de nossas necessidades é essencial à nossa sobrevivência, podendo elas ser sofisticadas de acordo com cada época e cultura, constituindo desejos criados por nós. O desejo natural por excelência é de natureza sexual – mais especificamente visual – e existe

Flávio Gikovate

apenas nos homens. As mulheres se excitam ao se sentir desejadas, condição que tem se tornado cada vez mais privilegiada graças à liberdade exibicionista que cresceu junto com a emancipação feminina. Aumentou a vontade de ativar ainda mais esse tipo de excitação, de modo que surgiram os desejos relacionados com a aquisição de produtos e bens capazes de torná-las ainda mais atraentes. **As mulheres desejam esses produtos e não desejam os homens. Esses, por sua vez, vêm desistindo de encantá-las pela via do sucesso profissional e financeiro. Vêm tentando impressioná-las pela aparência física, o que tem sua eficácia e chama a atenção delas por ser um novo valor cultural; mas não provoca o desejo.** Os homens tentam cada vez menos se deixar impressionar pelas mulheres, lançando mão do mundo virtual para realizar intensivamente seus desejos de caráter visual. O universo virtual parece, pela primeira vez, favorecer os homens, com os mais jovens, em função disso (dentre outros fatores), tendendo a ficar cada vez mais apáticos e menos dispostos a correr atrás das mulheres reais. Elas se exibem como nunca e eles estão, como nunca, na deles!

seis

Especulemos um pouco acerca de como seríamos caso fôssemos seres puramente biológicos. O objetivo é tentarmos entender alguns aspectos fundamentais das condutas sexuais, especialmente suas correlações com a agressividade. **Desde o início dos anos 1990 venho apontando essa forte associação que tem o poder de influenciar, e muito, as escolhas sentimentais equivocadas – afinal, não são poucas as pessoas que confundem excitação sexual com encantamento amoroso.**

Minhas reflexões acerca do assunto sempre consideraram mais relevante a associação, comumente feita pelos homens, entre sexo e agressividade. Os palavrões, termos que descrevem situações sexuais violentas quase sempre envolvendo dois homens, correspondem à mais forte manifestação da agressividade verbal entre as pessoas. É interessante registrar que eles estão presentes em todas as línguas. Cada vez mais penso na existência de um importante ingrediente inato, parte talvez da constituição hormonal masculina. Tal característica estaria relacionada com ações instintivas a serviço da perpetuação da espécie: os machos teriam de ir atrás das fêmeas nem sempre disponíveis e, na selva primitiva, abordá-las sexualmente – mesmo que à sua revelia.

De acordo com o modo de pensar evolucionista[2]**, os homens mais ousados e agressivos tenderiam a se reproduzir com maior frequência, uma vez que teriam abordado com mais vigor e firmeza um número mais elevado de mulheres.** Nos primórdios – dizem os estudiosos que nossa espécie existe há mais de 150 mil anos e a vida social mais organizada talvez tenha uns 10 mil anos –, a vida das mulheres e de seus filhos era dificílima. É provável que existissem bem mais homens que mulheres – o que, é claro, aumentava ainda mais as chances de que os que conseguiam copular fossem mesmo os mais agressivos. Num contexto desses, não é improvável também que as crianças que herdavam essas características mais violentas fossem mais competentes para se adaptar à vida rude e cheia de adversidades; assim, teriam tido mais chances de se estabelecer, chegar à vida adulta e se reproduzir, "purificando" cada vez mais a nossa espécie na direção da maior agressividade, inclusive no âmbito sexual.

Desse ponto de vista, é essencial pensarmos no sexo como fenômeno isolado do amor. Fica claro também que a aliança principal desse fenômeno pessoal

---

[2] Para compreendermos nossa biologia, parece relevante levar em conta a forma de pensar daqueles que, em psicologia e sociologia, se deixaram influenciar pelo pensamento de Darwin. O que me intriga é a ingenuidade com que esses mesmos estudiosos negligenciam outros ingredientes, especialmente aqueles relacionados com a vida em sociedade e a interferência da cultura em nós e em nossa biologia. Mesmo reconhecendo que a biologia interfere na formação das normas sociais, penso que elas ganham peculiaridades específicas e vida própria.

se estabelece com a agressividade, e não com a ternura e o carinho. Considero, como já registrei insistentemente, o sexo um fenômeno pessoal. Torna-se interpessoal quando se associa a algum ingrediente dessa natureza. A agressividade tem caráter interpessoal: tenho raiva de ou sinto hostilidade por alguém. O homem que corre atrás de uma mulher que tenta se esquivar dele sentirá, além do desejo, a humilhação que gera a raiva; tais sentimentos negativos determinam, pois, as primeiras manifestações interpessoais do nosso erotismo. Nossas primeiras expressões eróticas não têm, portanto, nada de românticas!

Quando penso em nossa espécie, sempre levo em conta o fato de termos propriedades intelectuais complexas; além disso, mesmo antes da sofisticação derivada da aquisição de uma língua compartilhada por um bom número de pessoas – que coincide com o início da vida em sociedade mais ou menos organizada e estável –, nosso equipamento psíquico já estava em atividade. Penso nas mulheres, indefesas porque mais fracas fisicamente. Tinham poucos meios para evitar a aproximação constante e indiscriminada dos homens que, mais fortes e agressivos, assim o desejassem. Impossível imaginar um início mais trágico para elas. Creio que só não acumulavam mais rancor porque não imaginavam outras possibilidades de existência e porque a vida, especialmente a delas, não era suficientemente longa para que entendessem melhor o que lhes acontecia.

Porém, não desconsidero a existência de um importante ingrediente agressivo também na subjetividade delas. Não sei se poderia ser atribuído a causas biológicas ou se já seriam consequência de aspectos psicológicos derivados das circunstâncias. Porém, imagino que a revolta existia e, de certa forma, persistiu até muito pouco tempo atrás.

Também me parece claro que o primeiro passo favorável à condição feminina foi dado quando alguns homens, no tempo das cavernas, decidiram tomar determinadas mulheres como suas. Pode parecer estranho falar disso como um avanço para as mulheres, mas, em comparação com o estágio anterior, agora elas deviam obediência a um único homem e tinham de estar sexualmente disponíveis apenas para ele. A esse macho cabia protegê-la e afastá-la de todos os outros homens. Talvez tenham se constituído os primeiros rudimentos de vínculos sentimentais graças ao convívio. Aqueles machos ferozes agora acompanhavam o crescimento das crianças – e, talvez pela primeira vez, tinham consciência e certeza de que eram seus filhos; traziam alimento para todos, aumentando muito as chances de sobrevida das mulheres e da prole. Imagino que estavam nascendo os primeiros laços de ternura, os primeiros sinais mais claros de civilização. Ou seja, nascem os primeiros embriões do que se chamou depois de amor, e juntamente com eles surgem os primeiros indícios de que seria possível organizar uma vida em grupo onde cada mulher "pertencesse" a um homem.[3] Não é impossível que, apesar dos óbvios avanços, as mulheres ainda desenvolvessem fortes ressentimentos derivados de sua condição de submissão. Os ressentimentos passavam a ter um objeto ainda mais definido: aquele determinado homem com quem convivia e a quem era forçada a obedecer e a se entregar sexualmente.

[3] Não tenho competência para afirmar que o principal ingrediente a interferir na ordenação social foram os fatores da ordem econômica, ligados à organização da produção agrícola e da caça, ou aqueles relacionados com os rudimentos de uma vida familiar na qual surgem as primeiras manifestações amorosas relevantes. De todo modo, do ponto de vista psicológico, penso que o início da vida que pode ser chamada propriamente de humana se estabelece quando surgem as manifestações sentimentais.

sete

Não há dúvida de que nossas propriedades biológicas interferem no formato das organizações sociais. Quanto mais primitiva a sociedade, talvez maior a influência da biologia. Quanto maior for o peso de determinado componente biológico, maior também será sua capacidade de interferir sobre a forma como vão se organizar até mesmo os grupos sociais "sofisticados" como os de hoje em dia. **Creio que a aliança entre sexo e agressividade se estabeleceu de uma forma radical e muito difícil de ser desfeita.**[4] Nos dias que correm, as famílias ainda temem pela virilidade de seus filhos menos agressivos. Tentam incentivá-los para que aprendam a lutar, a bater naqueles que os agridam ou, ao menos, a se defender.

Para muitos pais – e mães – continua a ser muito importante que seus filhos sejam competentes para as práticas esportivas de caráter competitivo, que se encantem com

---

[4] Nunca considero uma condição definitiva, pois não penso como Freud, para quem "biologia era destino". Não sabemos o que o futuro nos reserva. Nunca havíamos imaginado que o sexo ia se separar de forma tão definitiva da reprodução como aconteceu por força do avanço tecnológico-cultural que gerou a pílula anticoncepcional. Esse é apenas um exemplo de que somos sempre capazes de produzir coisas novas e, de certa forma, nos reinventar.

super-heróis mais violentos, que não tenham interesse por atividades ainda tradicionalmente atribuídas às mulheres, como cuidar de afazeres da casa ou mesmo cozinhar (depois de adultos, muitos homens podem e até são estimulados a desenvolver o gosto pela arte culinária), apreciar jogos mais delicados ou se interessar por atividades artísticas. **As mesmas esposas que se queixam das grosserias do marido estimulam as práticas equivalentes em seus filhos varões. A "espécie" dos homens desconsiderados e machistas se reproduz graças a essa contradição feminina fundada no temor de que os filhos mais amorosos, menos agressivos e competitivos tenham inexoravelmente um destino "inadequado", homossexual.**

Os meninos mais violentos tendem a transformar aqueles mais gentis e delicados em objetos de chacota de todo tipo, dizendo a principal delas respeito ao questionamento da virilidade de suas "vítimas". Os colegas de escola ou de clube zombam deles e os tratam como seres desprezíveis. Esses garotos se queixam aos pais. Mas estes, em vez de protegê-los e esclarecer que a maioria das pessoas pensa dessa forma pré-histórica, os censuram e "mandam" devolver na mesma moeda. Os meninos não conseguem agir assim e vão, em sua subjetividade, se convencendo cada vez mais de que os colegas têm razão, já que seus pais pensam como eles. Desenvolvem crescente sentimento de inferioridade e crescem cheios de dúvidas acerca da própria sexualidade.

Crescem também com muito ressentimento – tanto dos colegas que os humilharam como dos pais que não os protegeram, especialmente o pai. Crescem com forte hostilidade contra figuras masculinas e cheios de dúvidas acerca da própria virilidade. O resultado disso é previsível, mas será discutido com mais vagar em outro momento. As meninas eram, até muito recentemente, tratadas como cidadãs de segunda classe. Eram menos exigidas, justamente porque delas se esperava muito menos. Eram ao mesmo tempo tratadas com certo desprezo e desconsideração, mas também com maior proteção. Muitas cresciam infelizes com sua condição. Ou seja, a ideia de que existiam dois gêneros bem distintos e definidos pela presença ou ausência do pênis – o que acontece ao longo do segundo ano de vida – determinava um destino menos emocionante e menos brilhante para as meninas. **Por força disso, muitas desenvolviam forte hostilidade invejosa contra os meninos, algo que Freud chamou, com muita propriedade, de "inveja do pênis".**

Freud considerava universal essa manifestação invejosa, fato que a experiência não confirma. Tudo leva a crer que sempre existiram meninas que aceitaram muito bem sua condição graças a uma identificação positiva com a figura materna, muitas vezes também feliz e conciliada com o estilo de vida que correspondia à feminilidade em dada cultura. Temos presenciado alterações culturais drásticas e radicais na criação das meninas e moças, fazendo-me acreditar que tudo que os profissionais das áreas de humanidades pensaram até

1970 deve ser objeto de rigorosa revisão. A condição das moças de hoje é tão diferente da que foi vivenciada por suas mães que temos assistido à "vitória" completa e radical das mulheres naquilo que sempre se chamou de "guerra dos sexos".

É importante registrar que as reflexões sobre o masculino e o feminino não podem jamais ser feitas isoladamente, uma vez que mudanças na forma de ser e de agir das mulheres repercutem imediatamente nos homens, e vice-versa. Compõe-se um complexo dinâmico de alterações nem sempre fácil de ser acompanhado – mesmo pelos observadores mais atentos. Além do mais, sempre foi muito difícil entender exatamente como se constituiu o feminino, quanto dele foi produzido pelas próprias mulheres e o quanto foi imposto pelos homens que as dominaram por milênios. Tentemos avançar ao menos um pouco no entendimento da grande incógnita da psicologia: as mulheres!

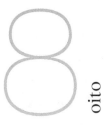
oito

É fácil explicar a dificuldade que os homens têm de entender as mulheres (e vice-versa). É duro para nós avaliar a subjetividade de seres que apresentem mais que certa cota de diferenças em relação a nós. A maior parte das mulheres não consegue compreender bem o que se passa no íntimo dos homens, "vítimas" permanentes dos estímulos visuais que elas lhes provocam. Muitas, talvez as mais arbitrárias, gostam de incitar o desejo dos homens ao mesmo tempo que não aceitam que seus parceiros olhem com desejo para outras mulheres. Outras temem o desejo que despertam e tratam de agir com a máxima discrição; algumas agem com discrição em nome da coerência, ou seja, porque não gostam que o parceiro demonstre desejo pelas exibicionistas. Outras ainda são discretas por força do medo que sentem do desejo que despertam. O medo pode estar relacionado com o risco real de que os homens cheguem agressivos e insistentes. Também pode derivar de elas não se sentirem suficientemente fortes para resistir a uma ofensiva mais insinuante, já que isso as excita porque estimula fortemente a vaidade.

Flávio Gikovate

Acredito que os homens, ao longo da história da civilização, sempre tiveram medo de que as mulheres não fossem capazes de se manter fiéis diante das oportunidades eróticas favorecidas por sua condição de objeto do desejo. Se na selva primitiva elas estavam submetidas à abordagem arbitrária de tantos homens quantos assim o desejassem, depois da união com um homem passavam a ter um protetor e provedor – autoritário, arbitrário, porém em condições de afastar os outros homens. **Eram "propriedade" de seus protetores. Nem por isso, porém, deixavam de parecer atraentes aos olhos dos outros homens, condição sempre tratada como perigosa. Isso por dois motivos: a eterna desconfiança dos homens em relação à capacidade feminina de se guiar pela própria razão – tida como mais fraca, inferior mesmo – e a dificuldade, colocando-se no lugar delas, de resistir às tentações a que elas estavam submetidas.**

A essa situação, já bastante complexa, ainda pode ter se agregado a observação, muito relevante, de que as mulheres não se tornam indisponíveis para o sexo mesmo depois de uma relação gratificante e orgástica. Após a ejaculação, os homens vivem um período de saciedade no qual podem ficar sonolentos e avessos às intimidades eróticas. Essa permanente disponibilidade – segundo Masters e Johnson, ausência de período refratário após a reação orgástica na maioria das mulheres – pode ter assustado ainda mais os homens, cada vez mais dispostos a oprimir as mulheres e a escondê-las dos rivais.

51

Talvez derive daí a prática, avalizada por muitas religiões tradicionais, de as mulheres adultas se cobrirem ao máximo, escondendo especialmente os cabelos – que desde aquela época já deviam ter sido encarados como extremamente eróticos.

Fica subentendida, em todas essas ações, a consciência masculina de que, do ponto de vista sexual, segundo a ordem social que construíram, o poder passou para as mãos das mulheres. Na selva primitiva, elas não tinham poder algum. **Porém, em qualquer tipo de organização na qual elas estejam acopladas a um "protetor", devem obediência a ele e a ele cabe o empenho máximo para não permitir a abordagem dos outros homens. Onde existem regras e proibições sempre surgem os anseios relacionados à transgressão dessas mesmas regras!**

Isso é especialmente verdadeiro no universo dos mais poderosos de um grupo social; eles estabelecem as regras, mas não gostam muito de segui-las. São guardiões do comportamento e do respeito às normas a ser seguidas pela maioria, mas ao mesmo tempo atribuem a si próprios muito mais direitos e uma liberdade de ação bem maior.

A constatação de que as mulheres passaram a ter um enorme poder relacionado à capacidade de provocar o desejo visual masculino, poder esse que só seria neutralizado por meio de uma atitude ativa dos homens (impedi-las de circular livremente, limitar o uso de vestimentas provocantes etc.), certamente os deixou perplexos e numa inesperada condição de fragilidade – em comparação com a condição anterior, de absoluta vantagem masculina. Penso que fizeram mais: limitaram ao máximo a ação delas também no que diz respeito ao pleno uso de suas potencialidades intelectuais e impediram sua participação em quaisquer atividades tidas como socialmente relevantes. Trataram de limitar o poder sensual feminino e de aumentar o próprio poder social e econômico. Ocuparam o espaço público e excluíram-nas de todos os processos decisórios importantes. Passaram a tratá-las como criaturas menos qualificadas, mais limitadas intelectualmente, enfim, com todas as propriedades que regulamentavam o machismo que reinava havia poucas décadas e deixou rastros ainda fortes na contemporaneidade. Como não podia deixar de ser, um bom número delas se revoltou contra a arbitrariedade imposta pelos homens. Desenvolveram a já citada inveja do pênis, que não tinha nada que ver com o pênis em si, mas com os privilégios sociais atribuídos a seus portadores. Muitas meninas, ao depararem com a anatomia dos próprios genitais, se entristeciam: deduziam que aquela "ausência" implicaria um papel secundário.

Além das predisposições biológicas que certamente fazem das mulheres as mais competentes para cuidar dos bebês, impôs-se a elas uma série de atribuições domésticas que poderiam muito bem ser compartilhadas (assim como boa parte dos cuidados com as crianças). As tarefas domésticas – vistas como menos relevantes – passaram a ser atribuição feminina. As brincadeiras e até mesmo as atividades mais sérias já estavam direcionadas para o preparo das meninas para suas futuras funções, o mesmo acontecendo com os meninos.⁵ **As tarefas deles, porém, eram tidas como mais importantes, de modo que ao sexo masculino se agregou um modo de ser próprio: o gênero.** Ao sexo feminino se atribuiu o gênero feminino, ou seja, um comportamento culturalmente condicionado que impunha comportamentos "próprios" da natureza delas – mas escolhidos pelos homens! O sexo é biológico, ao passo que o gênero depende de cada cultura. É claro que um bom número de meninas, talvez as mais rebeldes, contestadoras e imediatistas, se revoltaram contra os jogos próprios do seu gênero e passaram a preferir as atividades tidas como masculinas. As que aceitaram melhor seu gênero passaram a se entreter com as prendas femininas e não desenvolveram nenhum tipo de inveja do pênis. É possível que nas sociedades do século XXI, nas quais felizmente as diferenças de gênero estão se esvaziando, esse tipo de inveja seja observado com muito menos frequência. De todo modo, as posturas femininas associadas com o inconformismo em relação à sua condição fazem parte da reação mais que natural contra a arbitrariedade masculina, advinda da insegurança e do medo que os homens sempre tiveram do que poderia aconte-

---

5 Segundo Ruth Benedect, eles eram treinados desde a infância, por exemplo, para a caça. Essa antropóloga norte-americana tratou insistentemente da questão da continuidade do condicionamento cultural, em oposição às sociedades que não preparam as crianças para o que terão de viver quando adultas.

cer com mulheres mais livres, donas do seu destino e detentoras do poder sensual que eles tanto invejam. Ou seja, a inveja masculina derivada do fato de não ser desejados tanto quanto desejam é anterior à inveja do pênis; essa é consequência das arbitrariedades cometidas por força da primeira. **A inveja primordial é a masculina, hoje também com tendência a diminuir graças à homogeneização dos gêneros: deixa de haver um comportamento tipicamente masculino em oposição a outro feminino.**

Diante do exposto, fica evidente que sempre foi impossível responder à pergunta: "o que querem as mulheres?". Elas só poderiam mesmo é querer se livrar das opressões masculinas. Usaram meios sutis ou grosseiros, dependendo do grau de maturidade emocional e delicadeza de sentimentos, para melhorar sua condição. Usaram o poder sensual, descoberta dos primeiros anos da adolescência, para humilhar os moços que, quando meninos, lhes provocaram tanta inveja. Usaram o charme e a sensualidade para encontrar um bom parceiro sentimental e, no seio da relação, tentar, com jeito e meiguice, fazer-se ouvir e compartilhar das decisões relevantes acerca do futuro da vida em família. Poucas tiveram a ousadia e a irreverência de se manter fora do padrão imposto pela cultura, à procura de um espaço de liberdade individual que só era compatível com uma vida solitária: foram freiras, artistas, revolucionárias e escritoras; algumas se prostituíram voluntariamente também

Flávio Gikovate

buscando a liberdade – a maioria das prostitutas do passado seguiu esse caminho involuntariamente, uma vez que foi excluída do seio familiar por má conduta sexual. **Ao longo das próximas décadas, saberemos melhor o que elas efetivamente querem. Por ora, estão muito perdidas e não raro copiam o modelo masculino, tomando-o como referência – o que é insuficiente e pouco criativo, já que estariam usando como modelo o modo de ser dos seus tradicionais opressores.** Não sabemos como vão se comportar diante da liberdade sexual, social e econômica que conquistaram nos últimos quarenta anos. Acho que elas mesmas ainda não sabem.

Percebem alguns problemas complexos e talvez inesperados, entre eles o fato de que os homens não estão adaptados à ideia de conviver com mulheres que eles admiram e teriam de ser tratadas em igualdade de condições. Percebem que nem mesmo do ponto de vista sexual as coisas são tão simples: muitos homens fogem daquelas mais exuberantes, sempre com o tradicional medo de que não darão conta de satisfazê-las, já que nessa área as reconhecem como superiores – inclusive no aspecto quantitativo, tão relevante para eles, pois notam a interminável disponibilidade feminina que eles mesmos não têm.

Não estou sequer levando em conta as questões sexuais relacionadas com os encontros sentimentais potencialmente bons, talvez um dos problemas mais difíceis de ser resolvidos no futuro próximo. Sim, porque a associação entre sexo e agressividade é muito forte nos homens

– tanto por força dos aspectos biológicos como em decorrência dos condicionamentos culturais. **Assim, eles têm enorme dificuldade de sentir desejo por mulheres que despertam neles admiração e ternura. Confundem isso com falta de encantamento amoroso e se afastam justamente daquelas com as quais poderiam estabelecer as melhores relações sentimentais. Talvez esse seja o mais grave subproduto desse monumental equívoco que cometemos quando pensamos no amor e no sexo como fenômenos paralelos. Na prática, eles são antagônicos.** Talvez o profundo entendimento desse erro nos ajude a superar mais esse obstáculo.

Reafirmo minha convicção de que, em nossa espécie, não existem obstáculos intransponíveis. Somos suficientemente fortes do ponto de vista racional e social para encontrar soluções até mesmo para os mais complexos dilemas impostos por nossa biologia. É com essa disposição que continuo buscando a lucidez que pode tornar a todos nós um pouco mais felizes.

Voltemos um pouco à infância. A ideia psicanalítica de que o sexo se manifesta antes da puberdade se confirma com facilidade. Basta recorrermos às nossas recordações. Porém, cada vez mais me parece essencial distinguirmos o que é sexual daquilo que é sentimental. Assuntos relacionados com o amor têm sempre uma característica de necessidade, de remédio para algum mal que assalta a criança – e depois o adulto. Se a criança estiver brincando e se machucar, imediatamente correrá para o colo aconchegante de sua amada mãe. Não há elemento erótico nesse movimento que busca o restabelecimento da serenidade por meio do contato terno. **A ternura implica manifestações físicas muito parecidas com aquelas de natureza erótica. Porém, a sensação subjetiva é completamente diferente, e todos sabemos distinguir uma da outra.**

Nós sabemos, mas parece que as gerações que nos antecederam não sabiam. O exemplo mais gritante dessa confusão, gravíssima em todos os sentidos, consistia no fato de os pais de antigamente (ou seja, daqueles que foram pais antes dos anos 1970) não beijarem os filhos varões por medo de transmitir a eles sinais de caráter homossexual. O beijo de ternura, tão necessário para que o menino pudesse se sentir querido, era negado em nome das garantias necessárias à sua virilidade. Não sabiam distinguir ternura de excitação sexual. Privavam os filhos dos carinhos necessários à boa aceitação de si mesmos por força das crenças que sempre vigoraram e a psicologia do início do século XX incorporou. **As crianças necessitam muito de amor e aconchego, pois isso as ajuda a crescer mais autoconfiantes. As manifestações sexuais se dão graças à manipulação das zonas erógenas que acontece quando elas estão serenas e aconchegadas. Esse é o momento em que, distraídas, buscam a sensação agradável de excitação.** Ela não leva a nada, a não ser a alguns pequenos sinais de ereção nos meninos, que podem se encantar com a manifestação intrigante e, por vezes, valorizada positiva ou negativamente por quem os acompanha. É interessante notar que a estimulação do clitóris pelas meninas costuma ser mais regular e frequente que a manipulação peniana praticada pelos meninos. Parecem entreter-se por mais tempo e com mais intensidade do que eles. Hoje, é raro que sejam repreendidas por causa disso, mas no passado eram fortemente desestimuladas a qualquer tipo de prática erótica como a masturbação. Cabe registrar que as crenças que nos acompanharam por séculos não costumam se desfazer com facilidade, deixando sempre um rastro de sua presença na mente de muitas pessoas. Ainda hoje me perguntam se há algum malefício derivado da masturbação. Até hoje as famílias não sabem como se portar diante de uma menina que, enquanto assiste concentrada a algum programa na TV, fica se estimulando eroticamente por meio da fricção repetida da região clitoriana. Algumas fazem o mesmo ao longo das aulas e, na escola, os professores também não sabem bem como agir, especialmente quando isso chega a prejudicar o rendimento escolar delas.

A partir dos 7 ou 8 anos de idade, as crianças já estão cientes de que o sexo é algo muito relevante para a vida dos adultos. Sabem que não se trata de um assunto qualquer e que também vão se entusiasmar muito com o tema. **O que não sabem é que o entusiasmo virá acompanhado de tristeza. Sim, porque os revezes nessa área são terríveis, uma vez que provocam a dramática sensação de humilhação, contrapartida negativa da vaidade.** Aceitação faz bem à vaidade, enquanto rejeições provocam a humilhação. Como sabemos, as primeiras expressões da vaidade ocorrem um pouco antes, quando a criança sente um prazer enorme em se exibir depois de colocar algum adorno sobre o próprio corpo – um par de brincos, uma correntinha no pescoço, uma roupa especial etc.

A excitação acontece quando ela se paramenta, mas o prazer maior está em arrancar manifestações – por vezes um tanto forçadas – das pessoas ao seu redor. É óbvio que a criança busca sinais de admiração e de que a ela se agregou algum valor. Os prazeres da vaidade são muito efêmeros, de modo que a repetição da agradável sensação de gratificação exige sucessivos objetos de adorno, embrião do consumismo que tanto encanta a maior parte das pessoas. **O caráter insaciável e efêmero da vaidade, ao lado de sua onipresença, está muito bem registrado no Eclesiastes**[6].

O exibicionismo erótico costuma acontecer quando o menino ou menina de 8 ou 9 anos está a sós. A menina poderá se olhar no espelho usando roupas e sapatos da mãe ou da irmã mais velha – sendo fato que alguns meninos também se encantam com a prática de se vestir como as mulheres. Os meninos fazem gestos viris semelhantes aos que assistem nos filmes ou nos rapazes que já são púberes. Parecem ensaiar o que está por vir e se excitar com as fantasias que conseguem fazer a respeito do que percebem ser a vida sexual dos adultos – tida sempre como muito estimulante e divertida.

O volume de dados que os meninos e meninas dessa idade têm à disposição nos dias de hoje é incomparável com o das gerações anteriores. Eles viviam os temas sexuais de forma sombria e cercada de ignorância. Ouviam falar de penetração, e os meninos, sempre apartados das meninas, tentavam aquilo que se chamava de "troca-troca", ou seja, pênis sem ereção tentando penetração anal um do outro, invertendo-se as posições numa segunda fase das "brincadeiras", sempre praticadas em clima altamente transgressivo, como se estivessem cometendo um crime. Não espanta que, na fase adulta, muitos se lembrem

---

6 "Vaidade de vaidades, diz o pregador, vaidade de vaidades! Tudo é vaidade." (Eclesiastes 1:2)

dessas experiências com vergonha e culpa, quando não com suspeitas acerca da própria virilidade.

As brincadeiras eróticas praticadas pelos meninos sempre envolviam uma boa dose de agressividade, e penso que isso persiste. Os meninos mais fortes se valiam de sua condição para impor humilhações aos mais delicados, humilhações frequentemente ligadas a sujeições eróticas – difusas e mal formuladas, pois os valentões não sabiam exatamente como proceder. Porém, a atmosfera continha claros ingredientes da associação agressividade-erotismo: falar palavrões, colocar o perdedor em posição de sujeição, tirar suas roupas, entre outras práticas cuja grosseria deveria repugnar, mas em muitos provocava risos.

O universo feminino sempre foi bastante mais ameno. As meninas se masturbavam muito e essas práticas são idênticas hoje em dia, com a significante diferença de que a tolerância social só tem aumentado – mesmo quando elas se estimulam em público. No passado, tudo que tinha um toque de erotismo precisava ser praticado às escondidas. As meninas se preparavam para o que delas seria esperado durante a fase adulta: brincavam com bonecas ou com jogos que continham peças de culinária, cuidavam da casa e das bonecas, e assim por diante. O clima não era competitivo como o dos jogos masculinos, vivenciados sempre de forma apartada.

Meninos não brincavam com bonecas (e até hoje não o fazem com frequência), enquanto meninas não jogavam futebol e não lutavam judô. Hoje as fronteiras entre o masculino e o feminino vêm se desfazendo, de modo que meninos e meninas brincam juntos por um tempo muito maior. O conteúdo dessas brincadeiras, porém, corresponde ao padrão masculino: jogos competitivos, lutas, disputas de todo tipo no computador etc. As meninas vão se integrando ao universo masculino, não sendo a recíproca verdadeira. Isso porque o pavor de que se esteja estimulando a homossexualidade continua a assombrar a grande maioria das famílias que têm filhos varões.

As brincadeiras eróticas entre meninos e meninas também existiam, mas bem menos frequentes do que as que aconteciam entre meninos, uma vez que o universo das brincadeiras não era compartilhado.

Naquela época e ainda hoje, a troca de carícias seguia os padrões que eles supunham ser o modo de agir dos adultos. Atualmente, os meios de comunicação de massa produzem informação mais que suficiente para que eles fiquem a par de todos os detalhes da interação sexual entre adultos. Quando a informação era muito precária, era enorme a perplexidade que as crianças experimentavam caso tivessem a oportunidade de assistir a uma relação sexual entre os pais.

Freud chamava essa vivência de "cena primária". Não é difícil imaginar o impacto de tal imagem na mente de uma criança de antigamente, muito menos informada do que a de hoje. Mesmo quando não assistiam a todo o "espetáculo", quase sempre ouviam algum tipo

de ruído vindo do quarto dos pais. Não tenho dúvidas de que tal constatação reforçava – e muito – a ideia de que sexo e agressividade constituíam uma dupla bastante unida. **A relação sexual, do ponto de vista infantil, não pode deixar de ser comparada com uma luta, sendo difícil distinguir os gemidos de prazer dos de dor.**

Afinal de contas, o que seus pais estão fazendo? Trocando carícias eróticas prazerosas ou se digladiando? Caso assistam ao fim do ato sexual, perceberão certo clima de ternura que toma conta do casal, aumentando ainda mais a perplexidade e a confusão na cabeça daquelas criaturinhas em formação e sem informação suficiente para decodificar o que viram. **Será que hoje elas saberiam distinguir o que é sexo, o que é agressividade que "apenas apimenta" o sexo, o que é ternura entre um homem e uma mulher? Por mais bem informadas que sejam, penso que ainda não são capazes de interpretar corretamente tudo que se passa na relação íntima entre seus pais.**

Penso que a confusão acomete até mesmo as crianças que não presenciaram a "cena primária" – seja ela protagonizada pelos pais ou por adultos com os quais convivam. Elas até podem ter assistido a cenas mais picantes em programas de TV ou filmes, mas ainda assim ficarão carregadas de dúvidas acerca dos ingredientes que compõem a intimidade erótica adulta, da proporção adequada de cada um deles – erotismo propriamente dito, agressividade, ternura – para que se obtenha o melhor resultado. Assim, não creio que saibam o que esperar efetivamente do futuro.

Nos os últimos anos da infância, muitas meninas já começam a se familiarizar com alguns exageros da vaidade feminina, indo com as mães a salões de beleza – não apenas para acompanhá-las, mas para se servir dos tratamentos que lá são oferecidos. Começam a se familiarizar com as características da vaidade adulta e dos artifícios que podem ser usados a fim de aprimorar a aparência para atrair os rapazes. Tais práticas, que tentam apressar a chegada das atividades femininas adultas mais tradicionais, têm muito pouco que ver com o bom-senso e também não estão de acordo com a nova condição feminina.

Os meninos costumam se manter mais voltados às práticas competitivas tradicionais, talvez tentando se aprimorar um pouco com condutas machistas de caráter sedutor, baseadas na "malandragem". Trata-se de um começo nada promissor tanto para elas como para eles. Além de tudo, um tanto antiquado e conservador. Vamos ver como isso se desenvolve ao longo dos anos que se seguem.

dez

É muito difícil deixar de fazer comparações entre o que era adolescer há cinquenta anos e o que acontece hoje. Em muitos aspectos, as mudanças foram grandes, radicais mesmo. Infelizmente, nos aspectos mais essenciais pouco conseguimos avançar. Acredito que as contradições que envolvem a questão sexual estão mais visíveis, o que acabará por determinar o avanço substancial tão necessário para que sejamos criaturas mais felizes. Apenas um exemplo esclarecedor: quando a menina daquela época – anos 1950 – ficava menstruada, sentia enorme vergonha; por vezes, nem sabia do que se tratava e pensava que podia estar com alguma doença. Tudo que estivesse relacionado com o sexo vinha envolto por uma névoa escura e um tanto sinistra. **Nada parecia natural. Era como se criaturas "puras" estivessem sendo maculadas, contaminadas com impurezas que "infelizmente" faziam parte da vida adulta.**
 Hoje, o sexo adulto é esperado com ansiedade pelas meninas e pelos meninos. É como se fosse se iniciar uma grande festa, alegre, excitante e cheia de emoções encaradas como parte essencial das coisas mais interessantes que a vida pode apresentar. O sexo era moti-

vo de vergonha; agora é assunto para se orgulhar. É fato que, no passado, os rapazes também se gabavam das suas competências quantitativas, tanto as reais como as que forjavam. Adoravam contar quantas vezes eram capazes de ejacular em uma só noitada, qual a distância percorrida pelo esperma quando ejaculavam, mediam compulsivamente o tamanho do pênis ereto e depois contavam uns aos outros seus resultados – quase sempre amplificados. Muitos mentiam, mas achavam que os "outros" diziam a verdade, de modo que eram fartos os sentimentos de inferioridade relacionados com esses aspectos totalmente irrelevantes da sexualidade masculina.

Vergonha, culpa e sentimentos de incompetência para as práticas sexuais povoavam a mente dos rapazes, cujas primeiras experiências sexuais, quase sempre com prostitutas, se assemelhavam mais a um teste de competência do que a algo prazeroso. Rapazes e moças viviam em universos bem distintos, de modo que pouco conversavam. Não eram amigos; antes, faziam parte de "tribos" distintas que tinham o maior interesse uma pela outra, mas não faziam a menor ideia de como efetivamente eram e o que pensavam. O único fator de integração era a visão! Os rapazes olhavam as moças com desejo. Elas os olhavam para ver se estavam sendo desejadas, o que lhes despertava a agradável sensação de excitação sexual – que se reforçava pelo ingrediente erótico relacionado com a vaidade, o prazer de provocar olhares de admiração nos observadores.

Flávio Gikovate

Ser olhadas pelos rapazes mais valorizados – segundo os critérios de cada grupo – provocava muito mais prazer erótico de natureza exibicionista do que ser olhadas por homens de condição social "inferior". Os rapazes sempre olharam para moças atraentes independentemente de sua condição social. Acho que esse aspecto se alterou muito pouco e até hoje indica que o estímulo erótico visual masculino é muito mais relevante do que o feminino. Elas até podem se sentir mais propensas a aceitar a aproximação de certo moço por força de sua aparência física; porém, sua condição social e o papel que desempenha na "turma" certamente influenciam o sucesso ou fracasso da abordagem.

Não resta dúvida de que a aparência física masculina tem crescido como valor social, de modo que pode parecer que as moças também têm um desejo visual, antes reprimido. Essa hipótese é corroborada com o fato de que hoje muitas tomam a iniciativa de se aproximar dos rapazes. Porém, como já afirmei, penso que as alterações advêm das mudanças ocorridas no âmbito dos costumes, e não em decorrência do fim de um bloqueio imposto a elas. O mais provável é que, desfeitas as grandes diferenças que separavam o universo masculino do feminino, as moças têm tido acesso aos postos sociais e acadêmicos que elas tanto valorizavam nos rapazes. Assim, não podem admirá-los tanto por glórias que elas também possuem. A beleza masculina, antes menos considerada, passa a ser valorizada nesse mundo mais homogeneizado.

É bom deixar registrado desde já – e de modo enfático – que a beleza é uma propriedade aristocrática por excelência. Ou seja, é qualidade que privilegia forçosamente um pequeno número de pessoas de ambos os sexos. **Ao atribuir um valor enorme a esse elemento, como é o caso da contemporaneidade, a sociedade estimula, mais que em qualquer outra época, fortes sentimentos de inferioridade na grande maioria das pessoas.** Registro, por ora, que isso não é parte de um destino inexorável da nossa espécie, heterogênea, para quem as prendas não foram divididas de forma equânime. Cada cultura pode valorizar mais ou menos determinados aspectos que nos caracterizam – como virtudes de caráter, disciplina, capacidade de estabelecer relações afetivas de qualidade, enfim, uma série de propriedades de acesso difícil, porém não excludentes. Ou seja, a felicidade sentimental de umas tantas pessoas não aumenta nem diminui as chances de sucesso das outras.

Na atualidade, como a beleza é um valor importantíssimo, esse costuma ser um primeiro golpe negativo que rapazes e moças experimentam durante o início da adolescência: não são tão bonitos quanto gostariam! Bastante frustrados, muitos se retraem mais do que o necessário. Outros buscam contrabalançar essa desvantagem pela competência para os esportes, pela facilidade que desenvolvem no convívio social, pelo senso de humor – muito valorizado, especialmente nos rapazes – e, conforme o grupo, pelas aptidões intelectuais e competência para as artes, sobretudo a música. Buscam um lugar ao sol num universo em que a beleza parece fundamental. O objetivo principal dessa fase é conseguir se aproximar fisicamente do sexo oposto. Essa é também a vontade das moças, mesmo na ausência do forte desejo presente nos rapazes. O desejo visual não é necessário para que surja a vontade de conhecer de perto uns aos outros, tocar neles, sentir a textura de sua pele. Experimentar um beijo de verdade, parecido com o que acompanham nos filmes e nos programas de TV. Isso, que era apenas um sonho para os rapazes e moças de 13 anos de idade (que iam se beijar bem depois, quando estivessem namorando), tornou-se prática usual desde os anos 1990. É o ficar, prática "inventada" pelos próprios adolescentes e da qual fomos informados muito tempo depois.

Pela primeira vez, ao menos na história recente, rapazes e moças da mesma classe social e da mesma faixa etária passaram a trocar carícias eróticas sem compromisso, sem nenhum vínculo além de um conhecimento bem superficial adquirido de uma conversa rápida em alguma festa barulhenta. O rapaz sente desejo pela moça e essa o recebe porque se excitou com seu desejo. **Trocam carícias limitadas no local público em que se encontram, o que determina o necessário freio para que possam, sem medo, aprender a conhecer a si mesmos do ponto de vista sexual. Conhecer as próprias reações é um aspecto novo e essencial para as** moças, pois sabemos que as de antigamente morriam de medo de não ser capazes de gerenciar sua sexualidade, percebida como um dragão perigosíssimo. Agora não é mais assim, pois elas podem, por intermédio dessas intimidades crescentes – e num clima que não chega a ser romântico, mas oferece segurança e qualidade –, aprender a conviver com todos, ou quase todos, os detalhes que acompanham a excitação sexual feminina.

Os rapazes, que no passado só se aproximavam das prostitutas ou das moças de classe social muito inferior, tinham um tipo de visão deformada da prática sexual. Não se preocupavam em conhecer as parceiras que eventualmente viessem a ter e muito menos se tinham orgasmo ou não – sequer conheciam as características do prazer feminino. Eram experiências quantitativas, mas com muito pouco valor para eventual futuro relacionamento de qualidade. Assim, apesar de se acharem muito experientes, estavam mesmo é numa condição bem similar à das moças. Hoje decresce o número dos que se interessam por prostitutas. Esse ofício, pela primeira vez, dá sinais de que perderá espaço, uma vez que não haverá a adequada reposição dos homens mais velhos que hoje são a base de sua clientela.

Muitos rapazes se iniciam sexualmente com a namorada, lá pelos 16 ou 17 anos de idade. Fazem-no sem nenhuma vergonha. Isso também se modificou, pois no passado os próprios pais tratavam de provi-

denciar alguma oportunidade erótica para testar a virilidade dos filhos. A iniciação mais tardia, em clima de ternura, pode ser o início de uma alteração fundamental na qualidade das relações sexuais e até mesmo na ruptura do elo tão forte que se estabeleceu entre o sexo e a agressividade. Devemos tudo isso ao ficar. Do ponto de vista da internet, onde os rapazes encontram farto material para suas práticas masturbatórias, sexo e agressividade ainda estão fortemente acoplados no conteúdo da maior parte dos filmes eróticos e mesmo das atividades interativas. Eles substituem as prostitutas e o sexo casual com moças de classe social inferior, mas não alteram o conteúdo das fantasias. Esse é o ponto intermediário no qual nos encontramos, acendendo uma vela para Deus e outra para o Diabo.

O clima da adolescência é, pois, heterogêneo. Alguns se dão muito bem, especialmente os rapazes que são competentes para a abordagem insistente e as moças mais atraentes e sensuais. Muitos se dão mal: aqueles que não têm coragem de abordar as moças porque não se sentem à altura delas, por receio de ser inconvenientes ou medo da rejeição; aquelas mais recatadas, menos bonitas, menos sociáveis ou fora do padrão oficial de beleza. Entretanto, os insucessos dessa fase da vida não dão indicações precisas do que virá a acontecer em outros momentos. Há aquele clima de otimismo e esperança visível nas feições do rosto, nos gestos amplos e no riso fácil. A maioria costuma ter certeza de que o futuro lhe será favorável. Tomara que assim seja.

A troca de carícias que compõe o ficar cria um ar de naturalidade ao redor do sexo, grande novidade e importante conquista da nossa espécie. As práticas são singelas, ingênuas mesmo. Não demandam aqueles ingredientes de sedução, jogo de poder e tentativa de envolvimento sentimental. Alguns rapazes – e mesmo algumas moças – ficam com mais de um parceiro numa mesma festa. Muitos rapazes se gabam disso; algumas moças são discretas ou se envergonham um pouco, por medo de ser malvistas.

Quase todos se masturbam. Os rapazes, estimulados pelo farto material pornográfico disponível. As moças, imaginando situações eróticas de natureza exibicionista ou mesmo encontros mais românticos. Os ingredientes de agressividade estão presentes na maior parte do material erótico de agrado masculino. A maioria das moças, que evidentemente também tem acesso a esses sites, tem menos interesse por eles, uma vez que os elementos agressivos associados à sexualidade não estão presentes em todas elas. **As que desenvolverão maior agressividade são as que cresceram com inveja do pênis, sedentas agora de vingança. Sim, porque uma das peculiaridades dessa fase é a descoberta, por parte delas, de que o feminino não corresponde ao sexo frágil. Hoje mais que nunca isso é uma verdade. Poderão se valer de sua vantagem sexual para humilhar: provocando, mas não permitindo a aproximação dos rapazes.**

Flávio Gikovate

Registre-se mais uma vez que penso que a inveja do pênis é um sentimento que ficará para trás. Essa é outra importante variável positiva que se pode vislumbrar. Meninos e meninas crescem muito mais juntos, praticam os mesmos esportes, frequentam as mesmas salas de aula e assim por diante. Não era assim. A mudança é radical também na adolescência, na qual o temor das famílias acerca das práticas sexuais femininas só tem diminuído desde o advento da pílula anticoncepcional. Além disso, o espaço que as moças ocupam em todas as áreas da atividade humana adulta só está crescendo. Assim, não há razões nem infantis nem adultas para a persistência desse elemento de hostilidade contra os rapazes. As meninas que crescerem imaturas, intolerantes a frustrações e contrariedades, terão de encontrar outro meio de dar vazão a suas frustrações. Não poderão mais acusar o marido pelo fato de não estarem trabalhando nem achar que são prejudicadas profissional ou socialmente por serem do sexo feminino.

Poderão, se quiserem, continuar a provocar sexualmente os homens. Porém, penso que terão cada vez menos sucesso. Isso graças aos fenômenos interessantes que também estão acontecendo com os rapazes mais jovens. Eles continuam a ter desejo visual pelas moças. Porém, nem por isso correm atrás delas como antigamente. Parece que, de repente, descobriram que o desejo é algo bom de ser sentido. Parecem ter descoberto algo que pode ser extraordinariamente libertador: desejo não é ordem!

Esse talvez seja um dos golpes mais profundos sofridos pelo machismo. Outra vez devemos o fato assim inovador aos rapazes de 16 ou 17 anos que alteraram seu padrão de comportamento sem nos consultar. Como o fenômeno começou a se manifestar há uns quinze anos, muitos deles já estão mais velhos. O fato é que estão mais calmos e com bem menos pressa de se aproximar das garotas reais. Entretêm-se com aquelas do mundo virtual e não sentem a obrigação tradicional de que ser macho implica ir sempre atrás das mulheres e não perder nenhuma oportunidade de abordá-las. Estão na deles. É verdade que essa "calma" também se reflete na aplicação aos estudos e na futura vida profissional. É como se tudo estivesse correlacionado – e estava mesmo, ao menos do ponto de vista masculino. As mulheres trabalham e ganham o próprio sustento, o que os desobriga do papel de provedor. Se não forem bem-aceitos por elas não há problema, pois se entretêm com as mulheres virtuais, tão ou mais interessantes. A pressa em se casar e ter filhos sempre foi delas. Eles se acomodaram talvez um pouco mais que o ideal. Porém, essa parece ser uma tendência inicial masculina diante dos avanços obtidos pelas mulheres.

O fato é que desde a selva primitiva até o presente momento as mulheres foram as grandes vencedoras nessa suposta "guerra dos sexos". Antes estavam totalmente fragilizadas, tanto do ponto de vista da abordagem sexual como da satisfação de suas necessidades de sobrevivência. **Hoje são livres sexualmente, o que sig-**

nifica que só trocam carícias quando, se e com quem quiserem. Independentes financeiramente, não precisam de um provedor. Podem decidir se têm ou não filhos e se querem ou não se casar e ter um parceiro fixo. Acho que elas ainda não se aperceberam da maravilha que fizeram e do privilégio da condição que construíram para si mesmas ao longo dos milênios que nos separam da pré-história. Os homens, perdidos, não podem deixar de ficar perplexos e paralisados diante de alterações tão radicais.

11
onze

Espero estar sendo claro e convincente em mostrar como é difícil refletir sobre a sexualidade nas décadas posteriores aos anos 1960, quando as mudanças se aceleraram de forma assombrosa. Elas aconteceram, ao menos em parte, em função de outras alterações – consequência dos ininterruptos avanços tecnológicos. Não subestimo a força e a determinação das primeiras feministas, muito menos a influência que exerceram sobre um enorme contingente de mulheres, sobretudo as mais jovens. **Naquela segunda metade dos anos 1960, criou-se um clima muito especial no universo existencial dos jovens. O processo já havia se iniciado no final da década de 1950, com a chegada do rock, particularmente graças à influência universal de Elvis Presley. Com ele os homens ganharam o direito de dançar de modo extravagante e até mesmo de rebolar. Com sua música os casais deixaram de dançar abraçadinhos – danças essas comandadas pelos homens – e cada um passou a dançar de um jeito próprio, ainda que um diante do outro e unidos por olhares de cumplicidade ou por passos que demandavam mãos dadas. O fato é mais relevante do que parece à primeira vista: foi o momento em que**

Flávio Gikovate

os casais se desfizeram, ainda que de forma incompleta; o marco do início do reinado da individualidade, que passou a ser tão ou mais importante do que o amor.

Os anos 1960 foi magistralmente musicado por grupos como os Beatles e os Rolling Stones, só para citar os principais. O clima era de liberdade sexual – sempre facilitada pela presença de drogas, especialmente a maconha, que ajudava moços e moças "caretas" a aderir à nova ordem. Era também comprometida com uma postura não belicosa, contrária especialmente à desastrosa guerra do Vietnã. Tinha o tempero de pensadores como Herbert Marcuse, porta-voz de uma importante tendência, surgida na Alemanha e exportada para os Estados Unidos antes da Segunda Guerra Mundial, de conciliar o pensamento de Marx com o de Freud. De acordo com esse ponto de vista, a libertação sexual, entendida como o fim das alianças possessivas e monogâmicas entre os casais, criaria uma atmosfera de menor frustração e menos competitiva, compatível com uma ordem social mais justa.

As ideias eram belas e os propósitos formidáveis. Mas é sempre a mesma ladainha: é preciso ver como a teoria funciona na prática. O feminismo e a liberdade sexual conquistada pelas mulheres – graças ao consumo da pílula anticoncepcional e também à sua crescente independência econômica – lhes deram o direito legítimo de fazer uso do corpo como bem lhes aprouvesse. Tornaram-se mais ousadas em se exibir, ficaram ainda mais atraentes aos olhos dos homens. Muitas das atitudes masculinas relacionadas com a inveja que sempre tiveram do poder sensual delas também se exaltaram: presenciei manifestações agressivas de homens revoltados contra moças que faziam *topless* em praias famosas do Rio de Janeiro. A revolta masculina era quase sempre bem mais discreta e sutil do que a daqueles rapazes cariocas, pois poucos tinham coragem de ir contra a tendência social da época.

Numa primeira fase, a figura fascinante para essas mulheres mais ousadas, parceiras das rodas de drogas e sexualmente atraentes, eram os homens mais do tipo dos *hippies*, ou seja, magros, delicados, ousados no modo de se vestir – mais efeminados, usando sandálias de dedo, bolsas, blusas de algodão ao estilo indiano, voltados para atividades artísticas –, quase sempre não muito bem-sucedidos. Viviam do artesanato, da venda de fotografias, de cantar nas praças em troca de algum dinheiro. Viviam mesmo é de uma pequena ajuda familiar, uma vez que eram jovens da classe média e alta que até então estudavam com o apoio financeiro dos pais – que alimentavam a esperança de que seus rebentos estivessem vivendo uma fase estranha e passageira.

Namoros responsáveis e compromissados pareciam ter saído de moda para esses moços e moças irreverentes que pretendiam mais da vida do que os maçantes casamentos tradicionais. Tentaram a vida em comunidades onde a liberdade sexual deveria reinar, ou seja, onde não havia pares definidos nem direitos de uns sobre os outros. Haviam decretado o fim do ciúme. Tudo

isso funcionou de modo sofrível, uma vez que as moças sempre tiveram suas preferências e nem sempre estavam igualmente disponíveis para todos os membros do grupo. Os rapazes fingiam não se incomodar com eventuais rejeições, o que era facilitado pela presença das drogas atenuantes das dores psíquicas de todo tipo. Fingiam não se incomodar, mas é claro que se machucavam e talvez em algum momento futuro viessem a se vingar.

Tudo caminhava mais ou menos, sendo os conflitos facilmente resolvidos graças à indolência provocada pela maconha. Aí, de repente, determinado par se apaixonava para valer. A partir daí o ciúme, que evidentemente não se resolve por decreto, voltava a vigorar e o anseio de exclusividade prevalecia sobre as normas libertárias tão discutidas e louvadas. **Era o amor impondo suas normas e exigências conservadoras. Aparentemente, o sexo era a libertação e o amor o vilão que acabaria por levar as pessoas ao matrimônio e ao fim de toda a liberdade. O passar dos anos esclareceu melhor a questão.**

Os moços que faziam sucesso eram, pois, os que seguiam os mandamentos do ócio, competentes para ficar ao sol "curtindo" a pele e a vida sob o efeito das drogas.[7] Aqueles mais sérios e trabalhadores só eram interessantes para as moças que não haviam aderido ao movimento

---

7 É interessante registrar que a palavra "curtição" surgiu nessa época. As gerações anteriores foram criadas em um clima de obrigações e deveres, estando, pois, totalmente despreparadas para o ócio e a vida leve, sentida como insustentável. Acredito que o papel das drogas nesse contexto era o de criar condições psíquicas para uma vida sem responsabilidades para a qual aqueles jovens não estavam prontos.

hippie, que eram as menos exibicionistas e aparentemente menos interessantes. Havia a exceção daquele pequeno grupo de jovens que se aproximou dos movimentos políticos de caráter igualitário. Estes ocupavam um espaço intermediário entre os *hippies* e os mais tradicionais e tinham também o seu grupo de admiradoras, fascinadas pelo caráter épico e heroico de seus propósitos. Muitos morreram. Outros se dedicaram à atividade política e nem sempre honraram seus ideais.

Nos anos 1970 os Beatles se separaram, prenunciando o fim dos sonhos. Os jovens *hippies* se tornaram drogados quase irremediáveis ou voltaram às universidades e trataram de se reencontrar com uma vida mais próxima do tradicional. Além das calças jeans, sobrou pouca coisa dos seus ideais libertários. O exibicionismo de muitas mulheres não só não voltou ao que era antes como continuou a avançar. Se no início elas achavam graça e se ligavam aos *hippies* despojados e radicais, com o passar do tempo voltaram a se interessar pelos que trataram de buscar uma carreira e uma boa condição social e financeira. Nem por isso pararam de avançar em suas conquistas profissionais e sociais, tratando cada vez mais de estudar e de se credenciar para a condição de pessoas independentes. Já os homens retrocederam aos padrões tradicionais.

Nos anos 1960, os *hippies* correspondiam à aproximação dos rapazes ao padrão feminino de ser, tanto pelo vestuário e pelos cabelos compridos como pela delicadeza. E também por se disporem às atividades domésticas tradicionalmente atribuídas a elas e interditadas aos homens, que deveriam honrar sua virilidade. Isso criava uma perspectiva otimista na qual homens e mulheres se aproximavam, diminuindo o fosso que separava os gêneros. No início dos anos 1980, já vivíamos um momento inverso: os homens haviam retornado a seus padrões tradicionais, como se não tivessem se adaptado tão bem às novidades que eles criaram. **As moças, por sua vez, passaram a usar gravata e seu vestuário cotidiano se aproximou do masculino. Era um sinal claro do avanço profissional e social, visando agora a uma igualdade nos padrões masculinos. Porém, nas praias, seus trajes de banho só encolhiam.**

Não é impossível que essa retomada do padrão masculino que passou a ser a referência de ambos os gêneros tenha também sido influenciada pelo crescente volume de novos bens disponíveis no mercado, produtos bastante atraentes e interessantes capazes de instigar na maioria das pessoas o desejo de possuí-los. Muitos desses bens materiais não tinham que ver, ao menos num primeiro momento, com o jogo erótico da conquista. Ou seja, não se tratava sempre de adornos femininos ou objetos masculinos que despertariam interesse. Eram os eletrônicos: celulares, computadores, DVDs e tantos outros produtos que não param de nos encantar. **O consumismo ganhou uma nova face, agora não só relacionada com o erotismo. Os objetos vêm se tornando atraentes por si. A competição se acirra,** mas não obrigatoriamente só em decorrência de conseguir acesso ao sexo oposto.

Registro que, a partir dos anos 1990, tanto o universo feminino como o masculino ganharam uma complexidade que ainda exigirá muito esforço de reflexão por parte de quem quiser entender a realidade. Parte das mulheres avançou no mundo do trabalho, que vai se tornando cada vez mais relevante do ponto de vista social. Espera-se delas uma postura similar à dos homens, e aquelas que não exercem atividades bem remuneradas julgam-se inferiores. Algumas não se sentiram suficientemente atraídas pela ocupação profissional competitiva e sempre buscaram se casar e se dedicar – ainda que com o prestígio prejudicado pelo modismo que impõe o trabalho como único valor – aos respeitáveis e complexos afazeres domésticos. Outras têm tentado se valer da aparência física privilegiada com o intuito de encontrar parceiros e, por meio deles, ascender socialmente e dispor dos meios para a realização de seus sonhos de consumo.

Os homens também têm vivido um momento complicado, pois a maioria deles ainda tenta encontrar um espaço no mundo do trabalho e agora enfrenta a crescente competição com as mulheres, cada vez mais bem preparadas. Muitos se casam com mulheres que também trabalham fora e defrontam situações inesperadas, como perder o emprego e depender delas ou conviver com o fato de elas serem mais bem-sucedidas. Muitos casais não suportam essa realidade e se divorciam. Os

Flávio Gikovate

homens mais jovens não se sentem sequer em condições de competir com as moças, cada vez mais ativas e empreendedoras. São passivos e nem cogitam se casar, pois não se veem capazes de arcar com as responsabilidades que o compromisso impõe. Estão em compasso de espera para ver o que lhes aguarda. Também precisamos esperar para ver!

Acho que sobrou, dos anos 1960, além da calça jeans, a ideia de que o sexo é o que de mais relevante temos para fazer na vida. Assim, os homens que têm mais sucesso com as mulheres são os mais invejados por seus pares, mesmo quando sabemos que têm péssimo caráter, são mentirosos etc. Os cafajestes são a referência masculina e os que não o são os invejam. Observem o paradoxo: os melhores invejam os piores. Os melhores são os mais respeitosos, mais preocupados em não magoar as mulheres frustrando-as por ter feito promessas que não vão cumprir, além de ser também os que mais temem se envolver sentimentalmente. Os cafajestes não correm o risco de se envolver e talvez por isso tenham tanta facilidade em se aproximar até mesmo das mulheres mais encantadoras.

A beleza e a sensualidade feminina só têm ganhado espaço e ainda assim as mulheres mais inteligentes e produtivas sonham mesmo é com a aparência típica daquelas que passam o dia se cuidando com o intuito de afiar suas garras sedutoras. A hipertrofia da importância do sexo, inclusive do sexo casual, só tem trazido sofri-

Flávio Gikovate

mento e desconforto a um enorme número de pessoas, tanto àquelas bem-sucedidas nessas práticas como às que não se saem tão bem. A rivalidade e a competição entre as mulheres cresceram, estendendo-se também para a área profissional. É curioso, mas hoje elas parecem estar empenhadas em ter tudo a fim de encantar e seduzir o maior número possível de homens. Estes as veem com desconfiança, e muitos dos melhores não se sentem à altura delas; por força disso, se afastam. Os cafajestes estão cada vez mais competentes na arte da sedução e, graças à hostilidade invejosa que sempre tiveram em relação às mulheres, sentem prazer em alimentar esperanças que não vão se concretizar. Chegam mais facilmente nas mais encantadoras e muitos se casam com elas com objetivos explicitamente oportunistas.

De um lado, homens que cultivam a hostilidade. De outro, homens que se sentem intimidados. De outro ainda, jovens apáticos e desinteressados. Poucos são os que se sentem serenos na abordagem das mulheres. O sexo casual só interessa aos do primeiro grupo. O segundo grupo gostaria de ter coragem de abordar as moças mais legais para com elas estabelecer elos sentimentais. Os jovens, como eu disse, ainda não sabem o que querem.

De um lado, mulheres que adoram se exibir e provocar o desejo dos homens mais valorizados, talvez até com menos hostilidade do que antes. De outro, mulheres que adorariam fazê-lo, mas não se sentem fisicamente competentes para isso. Moças conscientes de que não poderão se beneficiar da beleza física para atrair os jovens de sua geração e

Flávio Gikovate

interessadas em homens mais velhos ainda fascinados pela beleza delas. Mulheres cada vez mais conscientes de que terão de ser autossuficientes financeiramente, porque hoje os homens não ganham o bastante para repetir o padrão familiar tradicional e sustentar toda a família só com o seu trabalho, e também porque não podem desconsiderar a possibilidade de que não venham a se casar.

O fascínio pelo consumo de objetos de uso pessoal e de artefatos tecnológicos só vem crescendo. As pessoas se empenham ao máximo para impressionar o sexo oposto, ao mesmo tempo que têm de mostrar a todos, homens e mulheres, que são bem-sucedidos profissional e financeiramente. Estão cada vez mais sozinhas (o número de divórcios também tem crescido muito) e não costumam ter competência para isso. Pensam muito em sexo, e a prática, quando existe, segue os padrões que aprenderam assistindo a filmes eróticos, o que nem sempre é tão gratificante. Beleza e bens materiais supérfluos fazem parte dos sonhos de homens e mulheres. A depressão grassa. Homens e mulheres não se entendem. As amizades estão fluidas e a qualidade dos elos sentimentais não progride. O legado desses anos não é brilhante.

12
doze

É mais ou menos essa a nossa atual situação. O conjunto não é estimulante, mas a desesperança não faz parte da história da nossa espécie. Aliás, nem a desesperança nem as mudanças fáceis, rápidas e radicais. Devemos desconfiar da eficiência dos grandes movimentos, embora eles nos permitam entender aspectos até então difíceis de ser observados. Cabe a nós buscar, nos emaranhados que se formam, os pontos iniciais pelos quais poderemos puxar fios interessantes para pequenos avanços, estes, sim, sempre à nossa disposição. Penso em avanços individuais e creio que os avanços coletivos dependem da adesão individual de um bom número de pessoas.

Venho estudando sistematicamente os relacionamentos amorosos desde os anos 1970. Eu tinha forte convicção de que as pessoas não demorariam muito para perceber a pobreza interpessoal desses relacionamentos eróticos casuais e se voltariam para envolvimentos sentimentais de qualidade. A afinidade entre os sexos só tem crescido, uma vez que ambos convivem mais na infância e levam uma vida adulta mais parecida. Eu achava que as afinidades de caráter acabariam por se mostrar muito relevantes para a escolha de parceiros sentimentais. Imaginava que os vínculos se tornariam mais sólidos, intensos e estáveis. Acreditava nisso por saber que o amor continuava – e continua – a ser parte essencial dos anseios de quase todas as pessoas. **Imaginava, enfim, que o reinado do sexo – e suas relações com a agressividade – estava se esgotando, chegando ao fim. Parece que, mais uma vez, me enganei.** Não creio que o engano esteja relacionado com o que virá a acontecer, pois a insatisfação e o estado depressivo são coletivos e, um dia, pedirão uma solução mais interessante do que o uso de antidepressivos – que, curiosamente, prejudicam bastante a função sexual! Porém, já é certo que me enganei na velocidade com que as mudanças ocorrerão (escrevo assim porque continuo a acreditar nelas). **Somos impacientes, queremos que as pessoas percebam logo nossas boas ideias, o que nos leva a supor que o bom-senso não demorará a prevalecer. Porém, o coletivo caminha de forma mais lenta. Multidões se movem muito mais vagarosamente do que cada indivíduo sozinho.**

O que presenciamos hoje em dia? Homens e mulheres pouco competentes para estabelecer relacionamentos amorosos baseados em afinidades, de modo que continuam a ser mais frequentes as alianças entre opostos, aqueles que se atraem mas não combinam. Falam em "almas gêmeas", mas ainda procuram a "tampa" para sua "panela". Estabelecem relacionamentos frouxos, ricos em discussões repetitivas e bastante desinteressantes. Com frequência se casam segundo o critério de escolha entre opostos. Com frequência quase igual se divorciam. Uma parte passa a viver num clima de descrença no amor e busca se enquadrar nos padrões vigentes, que falam na busca de parceiros para a prática de sexo casual, aquele em que o compromisso – quando existe – é superficial. Outros aprendem a viver melhor sozinhos e passam a esperar que aconteça um relacionamento amoroso mais consistente que o anterior. Às vezes, por impaciência, se equivocam e namoram pessoas com as quais não têm afinidades reais, voltando a se decepcionar. Outros ainda buscam preencher a vida com amizades, trabalho, jogos eletrônicos e, não raramente, relacionamentos virtuais na internet. Um pequeno grupo de pessoas desiste definitivamente dos relacionamentos interpessoais e passa a viver de acordo com prazeres individuais. O caminho que cada um seguirá depende de muitos fatores, inclusive da faixa etária em que deparam com a ruptura do elo de qualidade duvidosa.

A pressão cultural, já sabemos, nos impele para o máximo aproveitamento da suposta liberdade sexual que desfrutamos na atualidade. O sexo é visto como o prazer por excelência, relacionando-se boa parte dos produtos consumidos com o aprimoramento pessoal que visa a melhores resultados na busca de parceiros eróticos. As pessoas, especialmente as mulheres, estão dispostas a gastar boa parte de seu dinheiro e tempo na melhora da aparência física. Os homens se cuidam cada vez mais nesse aspecto, pois estão se preparando para frequentar locais onde pouco se fala e muito se olha. É claro que tentam também dar sinais de sua condição socioeconômica, agora importante também para as mulheres, pois não se espera que o homem seja o único provedor.

Os encontros são superficiais e pouco se fala das propriedades subjetivas de cada um. Atracam-se rapidamente, como os adolescentes, só que levam o encontro às "vias de fato". Poucas horas depois estão deitados em alguma cama ou sofá, na casa de um ou de outro. O sexo tem aquelas propriedades típicas do primeiro encontro: certo constrangimento de se mostrar desnudos – por mais que se cuidem, sempre têm alguma imperfeição que temem ser descoberta e diminuir a admiração que desejam provocar – seguido de enorme preocupação relacionada com o desempenho. Ao mesmo tempo que devem se mostrar competentes, nem sempre se sentem à vontade para práticas menos tradicionais. Enfim, todos ficam desajeitados e não sabem bem como se colocar. Isso sem falar da volta da preocupação masculina com as dimensões do pênis – por força dos filmes eróticos que se valem de homens "bem-dotados" – e com a capacidade de manter a ereção prolongada e eventualmente ter várias relações numa mesma noite.

Cada um está mais que tudo preocupado consigo mesmo e com a impressão que vai causar naquele parceiro mais que eventual. Preocupam-se inclusive com o que venham a dizer a terceiros, que quase sempre incluem conhecidos em comum. Uma verdadeira aflição. É difícil pensar que esteja havendo uma "relação sexual" em que uma pessoa interage real e profundamente com outra. Os dois trocam carícias, mas ambos estão preocupados consigo mesmos, com um bom resultado que alimente a vaidade. Até mesmo o ato de agradar o parceiro tem objetivos pessoais: faz bem a nós perceber que o outro se excita com as carícias que praticamos nele, já que nos sentimos excitados com a excitação do outro. Em outras palavras, a única coisa que nos interessa é saber se estamos agradando.

É impossível deixar de considerar que os ingredientes interpessoais são mínimos e secundários. Um se vale do outro para atingir objetivos pessoais de excitação, autoafirmação e eventualmente ejaculação e orgasmo. O que acontece depois da ejaculação masculina, então, mostra ainda mais claramente até que ponto o outro é irrelevante; deseja-se desaparecer dali o mais rapidamente possível. Muitas vezes, o esforço de manter as aparências e a boa educação leva a que as ações aconteçam de forma mais sutil, mas nem sempre isso é possível. As mulheres estão mais à vontade porque o orgasmo, mesmo quando acontece, não provoca a saciedade equivalente à da ejaculação. Sobra uma excitação residual que permite a elas continuar a achar graça naquele parceiro casual. Porém, elas se decepcionam e ficam magoadas ao perceber que a recíproca não é verdadeira e que o interesse deles era "exclusivamente sexual".

Mesmo sabendo ser esse o caso, parece que elas sempre esperam encantar os parceiros para que eles não queiram ser apenas casuais. Ou seja, é como se, no fundo, houvesse o anseio de serem capazes de despertar algo mais que o desejo sexual, condição que caracterizaria uma vitória para elas. A sensação de vitória acontece mesmo que elas não tenham efetivo interesse naquele homem: ele deveria se sentir totalmente encantado e fascinado a ponto de nunca mais querer sair de perto dela. Seria o pleno exercício do poder sensual feminino que, infelizmente para elas, se esgota assim que eles ejaculam.

A vitória masculina consiste em conseguir levar aquela mulher para a cama; já a vitória feminina corresponderia ao desejo dele de dar continuidade àquele encontro casual. Essa é a disputa, e o resultado final quase sempre favorece os homens. Elas ficam aguardando o telefone tocar nos dias que sucedem ao encontro, não tanto porque adoraram conhecer aquele parceiro, mas porque significaria que o fato foi marcante e inesquecível – o que é música para a vaidade. Eles, que sabem muito bem disso, quase nunca ligam. Com isso se vingam do esforço que tiveram de fazer para convencê-las a sair com eles.

O que descrevi é muito fortemente contaminado pela agressividade. Não existe ternura, prazer na companhia, nada, enfim, que defina algum tipo de contato humano íntimo. Não poderia ser diferente, pois a intimidade requer horas de conversa, conhecimento mínimo da história de vida de cada um dos parceiros, simpatia pelo modo de ser e de agir deles. A partir daí, pode surgir um genuíno gosto em agradar – que, é claro, depende de saber o que agrada e desagrada. O que parece ter alguma motivação interpessoal não passa de manifestação da vaidade de cada um: agradar para se sentir bacana, forte, superior.

O que claramente define a participação da agressividade é o mais absoluto desinteresse em saber se o parceiro ficará triste com o eventual desligamento logo depois do encontro fortuito. Os homens somem da vida das mulheres depois de uma noitada e até se regozijam ao saber que elas ficaram mal, esperando que eles dessem ao menos um sinal de simpatia – telefonar, mandar flores etc. As mulheres tratarão de se tornar ainda mais atraentes, talvez venham a aprender a ser mais firmes e não ceder às pressões eróticas tão rapidamente. Enfim, tentarão montar estratégias mais sofisticadas para não sofrer tal tipo de humilhação depois do encontro erótico. Talvez pensem inclusive em agir de forma exuberante durante o ato sexual, fingindo sentir mais prazer e imitando de forma explícita as atrizes de filmes pornográficos que têm nos ensinado tudo. Aliás, nesses filmes as cenas também terminam quando os homens ejaculam!

Flávio Gikovate

A verdade é que no quesito sexo casual a vitória é quase sempre masculina. Os homens têm a vantagem do período refratário, no qual não sentem mais nenhum tipo de desejo sexual. Nesse momento, olham para a parceira com objetividade e não mais com desejo. Poucas são as que passam pelo teste de continuar a ser interessantes a partir daí. Sim, porque isso implicaria prazeres de outra natureza, relacionados com o conhecimento da subjetividade delas. Poucas são as mulheres que realmente se divertem com esse tipo de intimidade; e mesmo as que conseguem uma boa dose de prazer não costumam se dar bem com a tradicional desconsideração masculina posterior. A maioria acaba achando que a conta não fecha, que os momentos de prazer não compensam os aborrecimentos posteriores. Abandonam essa prática que, da forma como tenho pensado, não terá mesmo grande futuro.

Já apontei que os melhores homens, aqueles que se entristecem ao provocar sofrimento em outras pessoas, são menos competentes para esse tipo de jogo erótico no qual sempre alguém sai machucado. É desagradável e desalentador constatar que os mais legais podem ter inveja dos mais grosseiros justamente porque estes últimos têm sucesso em algo muito valorizado, ou seja, encontrar parceiras para o sexo casual. Mulheres mais discretas também podem sentir inveja das mais exibidas por força dos olhares de desejo que elas provocam. Talvez um dia as pessoas se conscientizem de que esses encontros casuais não têm a graça e o charme que lhes são atribuídos e isso melhore a autoestima dos que não se sentem confortáveis em praticá-lo.

13
treze

É importante registrar aqui que são considerados mais sensuais justamente os indivíduos voltados para o sexo casual, aqueles que dominam melhor o jogo erótico das conquistas e têm caráter menos confiável. Ou seja, as pessoas mais corretas, sinceras e amorosas acabam sendo vistas como pouco atraentes, uma vez que não despertam insegurança e dúvidas. Não deixa de ser triste constatar que são mais sensuais aquelas de índole mais duvidosa. **Tudo leva a pensar que a sensualidade deriva, entre outros ingredientes, do desafio, da sensação de que o outro é muito difícil de ser conquistado e sempre escapará de nós.** Ou seja, a sensualidade deriva da percepção de que o outro não vai se desarmar, de que sempre será um desafio.

Segundo esse ponto de vista, aquele que ama definitivamente se torna pouco sensual aos olhos do amado! Que triste exemplo para os jovens, sedentos de experiências eróticas gratificantes e também de vivências amorosas de qualidade. De acordo com o que observam, terão de fazer uma opção terrível entre ser amorosos e pouco atraentes ou grosseiros, agressivos, não confiáveis – e por isso sexualmente interessantes.

Com base nessas observações, podemos extrair algumas considerações importantes a respeito do papel que o sexo desempenha na escolha e manutenção das relações afetivas. Tenho escrito muito acerca dos obstáculos encontrados no caminho daqueles que pretendem estabelecer relacionamentos amorosos de boa qualidade[8]. Quando as afinidades são muito marcantes, existe uma forte tendência a formar elos intensos, que ameaçam demais a individualidade dos que estão tentando se ligar sentimentalmente. Estes se sentem mal ao perceber que estão vivenciando a não desejada sensação de se "diluir" no outro. Isso provoca enorme medo, de modo que os casais sentem o que se chama de paixão: um sentimento de afinidade e encaixe amoroso aliado a um temor de igual tamanho.

Escrevi também sobre o medo que todos temos do sofrimento que pode nos assolar por força da ruptura do elo que está se formando. Tememos isso mesmo sem ter experiência prévia similar, uma vez que o vínculo primeiro (o da simbiose uterina com a mãe) teve esse fim – e com um sofrimento indescritível. Escrevi repetidas vezes sobre o medo da felicidade que nos atinge quando nos sentimos completos e em harmonia em virtude de um encontro amoroso pleno e gratificante[9]. É como se isso fosse o prenúncio de uma tragédia iminente, de que algo de horro-

---

[8] Confira meus livros sobre o tema, especialmente *Uma história do amor... com final feliz* e *Uma nova visão do amor*.
[9] Confira meu livro *Dá pra ser feliz... apesar do medo*, inteiramente dedicado ao assunto.

roso vai acontecer. É como se a felicidade atiçasse a ira dos deuses e também a inveja dos humanos. A verdade é que não suportamos tamanha harmonia, pois temos uma espécie de condicionamento que nos ensina que isso não vai acabar bem (também relacionado com a simbiose uterina que terminou tragicamente com a dramática ruptura e o doloroso ato de nascer). A meu ver, essa vivência está na raiz de todas as nossas superstições e o medo é particularmente forte nas questões do amor tanto pela semelhança com a vivência infantil quanto pelo grau de felicidade provocado pelo encontro de alguém com quem temos muita afinidade.

Esses motivos, associados à baixa autoestima que povoa a subjetividade de quase todas as pessoas – especialmente nos anos da mocidade – e nos leva a não ter admiração por pessoas parecidas conosco, já bastariam para prejudicar o encantamento entre pessoas suficientemente diferentes para que não tivessem de passar por esses sobressaltos. Nesse caldo complexo e desastroso ainda falta um ingrediente poderosíssimo. O desejo sexual se posiciona na direção mais nefasta e o faz, via de regra, ao longo dos anos da juventude, quando não se deve subestimar sua potência.

Os jovens sabem do que estou falando, pois costumam ter, entre seus amigos íntimos, alguns do sexo oposto. Amigos sinceros e verdadeiros são aqueles com os quais partilhamos dos mesmos sonhos e ideais, sentindo-nos à vontade para conversar livremente sem medo de ser julgados ou censurados. **Não deixa de ser** curioso que, ao observarmos o nível de intimidade e a qualidade do convívio que estabelecem, não apareça o menor sinal de desejo sexual – ao menos ao longo de vários anos[10]. A amizade se caracteriza pela confiança recíproca e pela certeza da lealdade. Tanto isso é verdade que a decepção provocada pela deslealdade de um amigo corresponde a uma dor quase tão fulminante quanto à da ruptura amorosa.

Fica evidente que o desejo sexual se alimenta de tudo que não está presente nas amizades: desconfiança, diferenças no modo de ser e de pensar tais que dificultem a cada um entender exatamente como funciona a mente do outro, além de diferenças marcantes quanto ao caráter. Nesse aspecto, já escrevi inúmeras vezes que podemos definir dois tipos básicos de pessoa[11]: as mais egoístas, que mentem com facilidade, não sentem culpa, são muito competentes para agir em causa própria – ainda que de forma agressiva e nociva ao interlocutor –, extrovertidas e superficiais no nível das conversas; e as mais generosas, portadoras de um exagerado sentimento de culpa que os leva a dizer "sim" quando gostariam

---

10 Obviamente, existe a possibilidade de essa regra falhar em algum ponto de um relacionamento assim íntimo e de um dos amigos se entusiasmar também sexualmente pelo outro. Nesse momento, e só nesse, surge a ideia de que aquela amizade intensa era vizinha do amor e de que a presença do ingrediente erótico é indício inequívoco disso. Quase sempre o fenômeno é unilateral, o que é uma pena. Sim, porque quando é recíproco dá origem justamente a um daqueles raros relacionamentos amorosos de ótima qualidade – que, com alguma frequência, acontecem nos primeiros anos da vida adulta.
11 Confira meu livro *O mal, o bem e mais além*.

de dizer "não", dóceis demais, excessivamente dedicados ao parceiro sem se preocupar com a reciprocidade. Desejam agradar e ser amados – mesmo que à custa da renúncia aos seus direitos legítimos.

O tipo humano mais atraente do ponto de vista sexual é o egoísta, aquele que é incapaz de tolerar frustrações e contrariedades. Isso significa que, caso tenha algum desejo que transborde os limites do vínculo amoroso, não titubeará em fazer valer sua vontade. Não há como confiar neles, pois mentem e são muito competentes com as palavras: acusam para se defender, alteram os fatos, ameaçam e trapaceiam. Não são confiáveis, e por isso mesmo são sempre muito interessantes, pois parece que têm de ser reconquistados a cada momento. São como um sabonete molhado: escapam das mãos o tempo todo.

Não acho que esse seja o único ingrediente da sensualidade humana; porém, ele não deve ser subestimado. É claro que a aparência física, o jeito e os trejeitos de cada pessoa, a própria intensidade do instinto sexual e a clareza com que afirmam seu desejo – que varia de pessoa para pessoa – também contam, fora outros fatores que desconhecemos. Porém, a figura do cafajeste – e do equivalente feminino, ou seja, a mulher insinuante, que se veste e age de forma provocante – é indiscutivelmente mais atraente do que a do rapaz bonzinho e, por vezes, exageradamente respeitoso e bem-educado – ou da moça discreta!

É interessante registrar que, do ponto de vista estritamente sexual, homens e mulheres mais egoístas – me-

nos confiáveis – também preferem parceiros egoístas. Ou seja, as mulheres mais generosas sentem mais fascínio pelos cafajestes, assim como as mais egoístas. Nenhuma delas acha muita graça no tipo masculino generoso, o que provoca neles grande frustração e tristeza. Homens generosos são fascinados pelas mulheres sedutoras e exibicionistas, o mesmo acontecendo com os mais egoístas. As moças mais recatadas e sérias, ainda que belas, despertam menos interesse sexual. Quando se trata de assumir compromissos de natureza sentimental, surgem algumas alterações. Pessoas mais egoístas preferem – não por motivos eróticos nem amorosos, e sim práticos – ligar-se a parceiros generosos, mais confiáveis e dedicados. Estes continuam fascinados e estabelecem elos com os egoístas mesmo que isso vá de encontro aos seus interesses práticos.

Os egoístas não estabelecem elos muito fortes com parceiros igualmente egoístas porque não conseguem confiar o mínimo neles. Sabem, por vivência própria, que não resistirão às tentações da vida cotidiana. Além disso, ambos costumam ser muito agressivos, de modo que a intensidade e a violência das brigas – não raramente corporais – também inviabilizam o convívio. Generosos poderiam conviver muito bem com seus pares, mas isso costuma ser raro, por força de todos os motivos que descrevi anteriormente, aos quais sempre é bom agregar este elemento erótico: muitas vezes, os homens mais generosos não se sentem tão competentes do ponto de vista sexual diante de uma parceira que lhes transmite segurança, desperta ternura, não dá motivos para disputa nem atiça seu lado agressivo.

Ao avaliarmos com rigor esses fatos, compreendemos como são raros os bons relacionamentos amorosos e como é difícil, no contexto de uma cultura que trata o jogo erótico – que contém óbvios ingredientes agressivos, pois no mais das vezes alguém sai machucado – como afrodisíaco, que o sexo não seja parte importantíssima desses fatores competitivos. Homens e mulheres menos hábeis e menos dispostos a agir de acordo com seus interesses ficam em nível de inferioridade. Quase sempre se sentem frustrados, não entendem a situação e muito menos por quais caminhos sua conduta acaba por prejudicar também os relacionamentos amorosos.

Tudo isso é muito triste, e é urgente decodificar o maior número de variáveis envolvidas nesse intrincado processo que beneficia, ao menos durante a juventude, os mais imaturos emocionalmente e desconsidera os direitos daqueles com quem convivem. A inveja que os generosos costumam desenvolver em relação aos egoístas tem, quase sempre, origem justamente nesse tipo de "vantagem" que eles levam no que diz respeito aos aspectos sexuais e afetivos. Os mais egoístas são amados por seus parceiros generosos. São tratados com todo carinho e não retribuem da mesma forma: gostam de ser amados, mas jamais se entregam a esse sentimento – por medo de sofrer e também por perceberem que boa parte de sua força deriva de não darem os sinais de confiabilidade próprios dos que estão de fato envolvidos.

Já escrevi diversas vezes sobre a intimidade sexual própria dos relacionamentos estáveis mais comuns – os que se estabelecem entre o egoísta e o generoso –, e aqui repito minhas palavras brevemente: o homem egoísta tem vida sexual exuberante com a esposa generosa porque, ao conhecê-la melhor, descobre que ela tem uma sensualidade muito interessante; já os homens generosos quase sempre estão casados com esposas egoístas que não são boas parceiras sexuais, em geral evitando dar de si até mesmo nesse aspecto da vida, além de agir dessa forma também por força da hostilidade invejosa que podem desenvolver em relação ao parceiro generoso. Casais em que ambos são egoístas têm uma vida erótica intensa, brigam muito e com frequência se separam após curto tempo de convívio; são poucos, porém, os casais em que ambos são generosos – assim como são poucos aqueles em que ambos são egoístas –, e sua vida sexual costuma ser boa, mas menos intensa. Os homens experimentam dificuldades relevantes ao longo dos primeiros tempos do relacionamento, enquanto as mulheres não apresentam problemas equivalentes.

Ao que parece, as mulheres mais egoístas agem, do ponto de vista sexual, como os homens. Ou seja, têm uma conduta fortemente influenciada por elementos tanto competitivos quanto agressivos. As mais generosas costumam ter uma sexualidade menos sujeita a

esses fatores, de modo que elas se acoplam mais facilmente ao amor. As egoístas se dão melhor no contexto do sexo casual, pois a agressividade está mais que presente. As generosas se dão mal nesse universo justamente porque não conseguem dizer "não" e muito menos provocar o desejo, e, depois, se for o caso, rejeitar seus parceiros. O mais comum é que elas busquem e prefiram relacionamentos estáveis e, depois de ter sido iludidas por determinado número de cafajestes, tenham dificuldade de encontrar parceiros: os egoístas não lhes interessam mais; os generosos estão fascinados pelas mais exibicionistas ou ainda não estão prontos para vínculos intensos. A situação dos homens não é muito melhor: após algumas decepções, não se interessam pelas mais egoístas e ainda não têm coragem de ficar com quem poderiam ser felizes – entre outras razões porque não sentem o mesmo desejo sexual. Temos de sair desse labirinto o mais depressa possível!

catorze

Penso que esse é o momento de fazer algumas considerações sobre a homossexualidade masculina. O tema é espinhoso para aqueles que não se contentam em simplesmente acatar o pensamento "oficial". Hoje se diz que a homossexualidade é uma característica inata. Por vezes, e de forma contraditória com a afirmação anterior, falam em opção homossexual. Vou tentar me posicionar levando em conta minha experiência clínica, e farei as reflexões que me parecem cabíveis diante do que tenho observado. Não pretendo me contrapor aos outros pontos de vista; apenas colocar o meu de forma livre e isenta de preconceitos ou dogmas.

Não excluo a existência de alguns componentes inatos que podem levar à homossexualidade masculina.[12]
O primeiro e mais evidente está ligado à aparência física: é do conhecimento de todos que entre os homossexuais se encontram alguns dos homens mais belos. Tal frequência, a meu ver bem fora da probabilidade estatística, não pode deixar de nos informar que estamos diante

---

[12] Quero deixar registrado desde já que o que vale para os homens nem sempre vale para as mulheres, de modo que a homossexualidade feminina necessita de ponderações que pedem um capítulo próprio, localizado mais adiante.

de um fato relevante, que pede uma hipótese explicativa coerente. Não podemos apenas nos surpreender perante um fato dessa magnitude e deixar de incluí-lo entre as complexas variáveis que influenciam no desenvolvimento da homossexualidade. Deparei inúmeras vezes com pessoas perplexas diante desse fato, mas jamais ouvi alguém tentar estabelecer correlação entre ele e a presença do comportamento homossexual.

Outros fatores inatos relacionados com a aparência também podem ter alguma influência (não tão marcante quanto a beleza física): é o caso dos meninos que, mais gordinhos, têm, desde cedo, quadris mais largos do que a maioria dos homens; ou, então, mamas mais salientes do que o comum. Podem ser objeto de chacota e humilhação em decorrência disso, o que, como veremos, costuma interferir muito negativamente na construção da identidade masculina tradicional. Podem levantar a suspeita de que têm características mais femininas determinadas por excessos de hormônios próprios delas; mesmo não correspondendo à verdade, os meninos podem ser influenciados por esse tipo de ideia.

Outro elemento que, segundo acredito, tem que ver com nossas propriedades inatas diz respeito à nossa competência de agir e reagir de modo mais agressivo, assim como a intensidade dos medos que sentimos. Acredito que nascemos diferentes em múltiplos aspectos, entre eles os relacionados com o fato de sermos mais destemidos ou nos assustarmos facilmente.

Flávio Gikovate

Nossa competência agressiva talvez esteja relacionada com a intensidade do medo e possa também conter um ingrediente peculiar e próprio. Assim, existem criaturas mais agressivas e pouco medrosas – enquadradas imediatamente no padrão de virilidade da nossa cultura – e aquelas pouco agressivas e muito medrosas – chamadas de "maricas" desde os 4 ou 5 anos de idade, período em que a socialização entre as crianças se torna mais importante.

Também existem pessoas bem agressivas e muito medrosas que, se forem também inteligentes, poderão se valer do potencial intelectual para lançar poderosas farpas sobre seus desafetos. Terão um comportamento pouco violento, mas algumas de suas manifestações verbais – e mesmo o senso de humor – denunciarão uma subjetividade rica em hostilidade. A ingestão de álcool ou o uso de outras drogas também poderão liberar a hostilidade represada.

Creio que cabe registrar a alta frequência de homossexuais dedicados a atividades artísticas de todo gênero. É difícil saber se existe relação entre a presença inata de dons específicos para música, dança, artes cênicas, artes plásticas etc. e a homossexualidade. Não é impossível que a maior interferência seja de natureza cultural, posto que muitas famílias não estimulam seus filhos varões na direção de atividades artísticas.

Flávio Gikovate

Do ponto de vista da influência do meio, ressalto, antes de tudo, o fato de existir um universo de comportamentos tipicamente masculinos e outros próprios das mulheres. Isso está em franca mudança desde o final do século passado, mas na vida familiar ainda existem atividades mais masculinas – relacionadas com a utilização de máquinas e carros – e outras mais femininas – concernentes às tarefas domésticas. A regra é que as mulheres se enfeitem mais do que os homens, usem mais cremes e cuidem mais regularmente dos cabelos. Eles costumam se interessar mais por programas esportivos na TV, enquanto elas preferem os filmes, e assim por diante. **Ou seja, apesar de uma enorme e crescente tendência para a unificação dos padrões de comportamento de homens e mulheres, ainda existem peculiaridades próprias de cada gênero – comportamentos culturalmente atribuídos a cada sexo.** Como já assinalei, existem o sexo feminino e as práticas que definem esse gênero. Da mesma forma, existem o sexo masculino e o gênero correspondente.

Cada menino e menina vai deparar, talvez no fim do segundo ano de vida, com o fato de pertencer a um ou a outro sexo. Existirão aqueles com pênis e os que não o possuem. **Quando penso no que pode acontecer na mente das crianças ao descobrirem que existem dois "modelos" diferentes de ser humano, imagino que devam levar um enorme susto, que se surpreendam com essa constatação inesperada.** Meninos percebem que são como seus pais, e as meninas se reconhecem como membros do grupo das mães.

Flávio Gikovate

É sempre importante registrar que, nessa idade, já existe um embrião de "software" próprio de cada criança. Assim, aos 3 anos uma criança já "sabe" muita coisa a respeito de si e do mundo que a cerca. Já tem preferências sobre paladar, tipos de brinquedo, programas de TV, e muitas podem preferir o jeito de ser de um dos pais, de um dos avós e também de outros adultos. **Nas reflexões acerca da dualidade entre biologia e cultura, quase sempre se desconsidera ou negligencia a subjetividade de cada criança, o modo como ela sente e decodifica tudo que vai aprendendo**[13]**.**

Não podemos minimizar, pois, a possibilidade de um menino dessa idade gostar mais da mãe do que do pai e achar mais graça no modo de ser dela. Não podemos desconsiderar a possibilidade de que venha a se revoltar contra o modo de ser próprio do seu sexo e decida imitar o comportamento da mãe e de outras pessoas do gênero feminino. Apesar de ser do sexo masculino, identifica-se com as peculiaridades do gênero feminino: passa a se interessar por bonecas, por atividades domésticas, pelo uso de produtos de beleza e até mesmo por roupas típicas de mulheres. **No futuro, terá lembranças que o vinculam ao gê-**

[13] Não podemos continuar a cometer esse engano fundamental, muito estimulado pelo fato de que, com o passar dos anos, o modo peculiar de cada criança ver o mundo tende a ser cada vez mais padronizado em decorrência da crescente influência da cultura sobre a forma de pensar de todos nós. Ou seja, quando crianças – e mesmo na adolescência –, construímos uma identidade e uma forma própria de pensar; à medida que nos tornamos adultos, tendemos a nos adequar aos padrões oficiais da cultura. É uma pena que assim seja, pois isso diminui muito a diversidade que poderia existir entre nós graças ao fato de termos, na origem, um "hardware" e um "software" únicos.

nero feminino desde os primórdios, o que o faz supor que tenha nascido assim. Não percebe que o fenômeno da identificação com o gênero feminino pode advir da forma como decodificou o ambiente que o cercava numa idade assim tenra.

Esses são os meninos que crescem com comportamentos claramente afeminados desde os primeiros tempos e não raro seguem uma rota que os faz buscar um corpo feminino, compatível com o gênero a que sentem pertencer. Caminham por essa via os travestis, assim como aqueles que buscam cirurgias radicais para adequar o corpo à mente que desenvolveram. A complexidade desses fenômenos ainda exigirá muita reflexão e isenção sincera por parte dos estudiosos. De todo modo, reafirmo que não podemos apenas continuar a olhar perplexos para esses fatos sem nos ater a seus detalhes. Não tem o menor sentido considerá-los abomináveis ou o contrário, que sejam mais que naturais. Não creio que sejam nem uma coisa nem outra.

Talvez a integração ao gênero masculino seja mais difícil para os meninos cujas formas são mais arredondadas – típicas do feminino –, assim como para os muito belos que despertam admiração por isso – também mais próprias do que acontece, em nossa cultura, com as mulheres. Não provocam movimentos tão inevitáveis e radicais quanto a identificação com o gênero feminino que ocorre nas fases anteriores da vida, uma vez que alguns meninos vão ser objeto de deboche por força de seu cor-

po lá pelos 7 anos de idade, condição na qual já têm muitas outras defesas íntimas. Serão mais vulneráveis se, além da constituição corpórea, forem também avessos aos esportes e atraídos, por exemplo, pela dança – que, em nossa cultura, define um típico interesse feminino. Também sofrerão se não souberem se defender até mesmo fisicamente das ofensas, ou seja, se forem menos agressivos ou portadores de um medo grande de apanhar e de bater.

No período que vai dos 6 aos 12 ou 13 anos de idade, define-se muito claramente o padrão de virilidade em uma cultura como a nossa: o menino tem de ser competente para as lutas e disputas que envolvam brigas corporais, precisa demonstrar interesse por atividades esportivas próprias do seu grupo de referência, não deve sentir atração por conversas e atividades próprias do feminino, dentre os principais ingredientes que caracterizam o macho grosseiro que todos se esforçam em ser. Os que têm dificuldade em se adequar são objeto de ironias e brincadeiras, sendo tratados como se fossem menos machos, como se estivessem destinados a uma vida adulta tipicamente homossexual. São humilhados constantemente e não se reconhecem com forças para reagir à altura. **Ouvem dos pais tudo que não gostariam: que devem ir à luta, revidar as agressões que sofrem. Insisto e reafirmo que são aconselhados a agir exatamente da forma que não conseguem, o que reforça ainda mais a sensação íntima de incompetência.**

As famílias passam a se preocupar muito com o futuro sexual de seus filhos mais delicados, daqueles que

Flávio Gikovate

não se integram com os outros meninos da escola, do clube ou do bairro. Preocupam-se ainda mais se eles forem introspectivos, voltados para atividades culturais e artísticas. A situação se agrava mais caso seus filhos gostem de conviver com as meninas, isso sem falar daqueles que passam a se interessar pelas atividades delas. Acreditando que esse tipo de identificação será fatal para o futuro sexual dos filhos, os pais tratam de lhes impor atividades rudes e pouco atraentes, tornando-os cada vez mais ressentidos.

Esses meninos delicados, pouco agressivos e mais medrosos são vítimas de humilhação quase permanente por parte dos colegas. Não raramente também são humilhados pelos pais. Não é incomum que a figura paterna seja também muito rude; poderá fazer parte daquele grupo de homens que, quando crianças, integravam a turma dos meninos mais cruéis. Em outras palavras, uma figura paterna mais agressiva, grosseira e violenta faz que esses meninos se sintam muito mal e incompreendidos também em casa. **Agredidos e humilhados principalmente por figuras masculinas, inclusive por aquelas que deveriam protegê-los – pais, irmãos mais velhos e outros parentes –, crescem com raiva dos homens.**

15
quinze

Os meninos bonitos, mais roliços, menos agressivos, mais medrosos, menos afeitos aos esportes competitivos, encantados com atividades culturais e artísticas, cujas figuras paternas são violentas e cobradoras de uma virilidade que se confunde com grosseria, chegam à puberdade em uma situação bastante precária. É óbvio que sofreram a influência do que lhes aconteceu, de modo que se sentem profundamente inseguros e totalmente desconfiados de sua capacidade de exercer uma vida sexual como a que deles se espera. Não é nada fácil esquecer os momentos em que foram humilhados, as agressões físicas e verbais, nas quais eram chamados por apelidos indicativos de que era "óbvio" que já faziam parte do universo homossexual. Chegam à puberdade duvidando de si mesmos do ponto de vista sexual. E nem poderia ser diferente.

Boa parte deles atinge a puberdade com raiva dos rapazes e medo de aproximar-se das moças. Temem não estar à altura da expectativa delas, de não se sair bem do ponto de vista da competência erótica. É óbvio que a presença do medo prejudica muito a possibilidade de eles virem a sentir o desejo visual por elas, tão característico da masculinidade. Por outro lado, os mais belos percebem que são objeto do desejo visual de outros homens já encaminhados na rota da homossexualidade. A vaidade sempre se alimenta desse tipo de olhar. **Dessa maneira, muitos são os rapazes bonitos que passam a se deleitar por serem eles o objeto do desejo, condição gratificante e própria do feminino.** Ao mesmo tempo, não se sentem desejados pelas mulheres, ao menos da mesma forma que pelos homens. Com medo de fracasso na intimidade com as mulheres e percebendo-se cobiçados por alguns homens, é provável que venham a ter suas primeiras experiências com tais parceiros. Elas são gratificantes, pois sabemos que as carícias podem ser praticadas individualmente ou trocadas com qualquer tipo de parceiro. O prazer extraído desse tipo de contato reforça a ideia de que "são" efetivamente homossexuais, o que, do meu ponto de vista, corresponde a um pensamento bastante equivocado.

Outro fator, muito relevante, reafirma na cabeça desses rapazes que são mesmo homossexuais: é o fato de sentirem grande prazer quando são penetrados. Aliás, penso que esse dado tem relação com o medo que as famílias sentem de que seus filhos venham a trilhar a rota da homossexualidade. Sim, porque para quase todos os homens a penetração anal é bastante gratificante. **Ela provoca uma agradável sensação de excitação derivada da massagem prostática, que pode determinar inclusive a reação ejaculatória sem que o pênis seja tocado.** Quando isso acontece, parece que o rapaz vê confirmada sua "vocação" homossexual; considera-se parte inexorável e definitiva dessa "tribo".

Esse é mais um erro de pensamento derivado da falta de informações honestas transmitidas pela cultura a respeito da nossa sexualidade. A verdade é que são inúmeros os heterossexuais que pedem às parceiras que os penetrem com instrumentos eróticos de todos os tipos. Fazem-no sempre de forma envergonhada e não raro despertam a suspeita de que não são efetivamente tão viris quanto elas desejariam. **As práticas de sodomia sempre foram agradáveis aos homens, e elas não definem, de forma nenhuma, uma vocação homossexual. Definem apenas o fato de que se trata de um ato prazeroso e ao mesmo tempo proibido pela cultura machista, que vê nisso uma porta aberta para que dois homens sintam um prazer sexual indevido**[14].

Não podemos nos esquecer da raiva que esses moços sentem dos outros rapazes – e dos homens em geral –, em decorrência do tratamento que receberam ao longo da infância e no início da puberdade. A constância e regularidade do descaso com que foram tratados os impedem de esquecer – e de perdoar – o que lhes fizeram. Muitos foram agredidos e humilhados verbalmente; outros, também do ponto de vista físico. Não reagiram porque não se reconheceram como portadores da agressividade neces-

---

14 Se tivéssemos de definir a homossexualidade, assim como a heterossexualidade, ela estaria relacionada com o sexo do parceiro com o qual trocamos carícias, e não com o tipo de carícias que são trocadas.

sária para isso. Não o fizeram por medo de agredir e levar a pior na hora de eventuais represálias. Muitos não conseguem bater porque não se reconhecem facilmente no papel dos agressores, travados por pena ou culpa; ou seja, nem sempre é por medo de apanhar, posto que os que não batem costumam ser os que mais apanham. **Não reagiram e não perdoaram. Carregam mágoas e raivas enormes, todas dirigidas contra os homens, especialmente os mais viris.**

Esses mesmos rapazes costumam ter uma convivência ótima com as moças. Isso também não os ajuda muito nessa fase, pois parece que estão mais próximos do jeito de ser delas do que deveriam. Delas não guardam mágoas ou ressentimentos. Com elas estabelecem vínculos de amizade, trocam confidências e intimidades. Agem de forma livre e espontânea, conduta que não conseguem ter com os rapazes. Num mundo polarizado entre os dois gêneros, reconhecem-se mais próximos do modo de ser e de pensar delas. Esse tipo de comportamento pode reforçar a hostilidade da maior parte dos rapazes, que os discriminam ainda mais. A raiva infantil se amplia com essas novas ações agressivas.

Desde o início das minhas considerações a respeito da sexualidade, deixei clara minha convicção de que esse instinto tem relações naturais íntimas com a agressividade. Isso em todo o reino animal, inclusive entre nós. Talvez isso tenha estado a serviço dos mecanismos que os evolucionistas tanto prezam, já que efetivamente os machos mais poderosos são os que melhor se dão no processo de perpetuação dos genes. **Se a correlação imediata da sexualidade é com a agressividade, não com a amizade e a ternura, e esses rapazes mais delicados são amigos das moças e sentem raiva dos homens por terem sido tão insistentemente humilhados por eles, não é difícil supor que o desejo visual – que naturalmente se dirigiria para o corpo feminino – possa se inverter e o corpo masculino venha a se tornar o foco do desejo.** Nunca penso sobre o assunto sem levar em conta a gama de componentes que tenho tentado dissecar. Acho que eles funcionam em concomitância, com predominância de um ingrediente ou outro em cada caso. Entre esses fatores estão: a beleza masculina; a raiva represada; a identificação com o gênero feminino e a consequente revolta contra o sexo biológico; experiências homossexuais gratificantes e aleatórias durante a puberdade; a falta de desejo por figuras femininas, derivada da amizade e do companheirismo – especialmente diante do medo de não ser capaz de desempenhar o papel masculino à altura. E assim por diante. **Quanto mais fatores estiverem envolvidos, mais sólido e estável será o comportamento determinado por eles. Cabe ressaltar que, de acordo com o que coloquei até aqui, a forma como as famílias reagem ao "risco" de que seus filhos sejam homossexuais só faz que ele aumente.**

Já se passaram vinte anos desde minha primeira observação acerca da forte correlação, presente na cultura como um todo, entre homossexualidade e agressividade.[15] Fiz referência a um aspecto que sempre me chama a atenção, relacionado com os palavrões. Já falei disso aqui, mas insisto em repetir: termos que insinuam e ameaçam o interlocutor com a hipótese de ser envolvido em situações eróticas. Acho que são as frases mais duras que uma pessoa pode dirigir a outra. Elas estão relacionadas com as práticas sexuais entre dois homens. Não haveria razão para que essas expressões fossem utilizadas com esse objetivo a não ser aquela de que o sexo homossexual masculino corresponda mesmo a algo fortemente carregado de agressividade.

Outra propriedade de caráter agressivo que chama a atenção em muitos homens – em especial nos homossexuais – é um tipo de humor sutil e cortante, no qual sobressaem características maldosas. Trata-se de uma postura própria das criaturas muito inteligentes, por vezes de grande sucesso entre homens e mulheres. É indício, segundo penso, da presença de rancor e ressentimentos expressos por essa via. O humor ferino é mais um sinal da forte conexão entre o sexo e a agressividade.

Vários homossexuais têm como principal fantasia erótica ser "possuídos" por heterossexuais. Ao se submeter a eles, sentem o enorme prazer de trazer para o seu "território" exatamente aqueles que se colocam como os "machões" e mais desqualificam e desprezam

---

15 Desde meu livro *Homem: o sexo frágil?*, datado de 1989.

quem é diferente deles. É uma forma sutil de dominação e vingança bem típica do que acontece também no sadomasoquismo: aquele que serve, ao dar prazer ao parceiro, passa a ter algum poder sobre ele – o dominado também domina! O caminho percorrido por essas fantasias e práticas é o da raiva e da vingança; não contém uma única gota de sentimento positivo, e às vezes o processo é intermediado por algum tipo de recompensa financeira recebida pelo heterossexual – o que pode ser entendido como vantagem ou implicar grande humilhação.

Outro aspecto que chama a atenção no universo homossexual masculino é que sua diversidade nem sempre é bem-aceita pelos próprios homossexuais. Parecem existir preconceitos internos: os mais delicados e afeminados não são bem-vistos pelos que se comportam de forma mais viril. Os mais masculinos são de dois tipos: os discretos, que se empenham para não demonstrar que são homossexuais; e aqueles que assumem os padrões de conduta típicos do modo de ser deles em cada época, ou seja, usam determinado corte de cabelo, praticam musculação e depois vestem camisetas justas para exibir a boa forma, ou outros indicadores que lhes permitem reconhecer seus pares rapidamente. Querem deixar claro que fazem parte de uma "tribo" especial, assim como acontece com outros grupos que gostam de se exibir de forma específica – góticos, determinados usuários de drogas, milionários que apreciam ser reconhecidos como tais, intelectuais etc.

A regra é que cada um desses subgrupos se feche em si. **Homossexuais mais viris não se aproximam dos mais afeminados e não sentem desejo sexual por eles (ao contrário; é mais fácil, como eu disse, que se interessem por heterossexuais bem grosseiros). Mesmo nos casos em que se estabelecem vínculos sentimentais mais ou menos estáveis, são poucos aqueles em que as alianças se dão entre parceiros que não sejam, ao menos no quesito da aparência e da conduta, adeptos do mesmo tipo de comportamento social.** Um maior grau de discrição indica que aquelas pessoas não estão muito interessadas em chocar seus interlocutores; isso acontece porque suas atividades assim o exigem ou porque não guardam tanto ressentimento com as outras pessoas. Os homossexuais mais ricos em trejeitos, usam suas posturas mais extravagantes para chocar e se vingar daqueles que os agrediram ao longo da vida.

dezesseis

Por falar em alianças sentimentais, é hora de fazermos algumas considerações a esse respeito. **Dado o caráter mais agressivo relacionado com o surgimento do desejo sexual entre dois homens, e também em função de que nem sempre são simples os critérios de fascínio e admiração, é fácil prever que esses homens terão uma enorme dificuldade de se encantar sentimentalmente. Não são raros aqueles que reconhecem isso e nem sequer buscam parceiros com o intuito de estabelecer elos amorosos. A maioria dos homossexuais masculinos vive só, e sua história é antes de tudo relacionada com a busca de parceiros sexuais com os quais formam vínculos efêmeros e muito pouco relevantes.** Eu não saberia precisar a porcentagem daqueles que vivem relacionamentos sólidos, estáveis e duradouros com parceiros do mesmo sexo, mas penso que são minoria.

Já apontei que no universo heterossexual também existem problemas, pois a associação entre sexo e agressividade incentiva a busca de parceiros inadequados no que se refere ao caráter. Aqui a questão me parece mais evidente, uma vez que os que não estão plenamente sa-

Flávio Gikovate

tisfeitos com sua sexualidade terão maior dificuldade de apreciar os parceiros que sejam parecidos com eles, o que acaba por fechar ainda mais as portas para as possibilidades sentimentais. **É claro que aqueles que têm uma boa aceitação de si e de sua disposição erótica se aproximam sentimentalmente de seus pares, condição na qual vivem os mesmos problemas dos heterossexuais: quase sempre escolhem parceiros complementares do ponto de vista de temperamento e caráter (os mais generosos se encantam pelos mais egoístas).**

A ausência de grandes compromissos relacionados com a constituição de alianças profissionais e financeiras, assim como o fato de não terem filhos, aumenta a instabilidade do relacionamento. Ou seja, a partir de uma série de desentendimentos e brigas, o vínculo afetivo se rompe mais facilmente. Entre os heterossexuais que se casam, o próprio ato formal da aliança já é fator de perseverança e esforço mais intenso no sentido de sua preservação. As questões financeiras e os filhos também dificultam – e muito – os propósitos separatistas. **A instabilidade dos pares homossexuais é reforçada também pelo aspecto da fidelidade sexual: poucos são os que se mantêm fiéis ao longo dos anos de convívio. São dois seres com propriedades masculinas e muito voltados para os prazeres do sexo promíscuo** – como veremos adiante. Nem sempre o casal concorda na forma de se comportar. Assim, o ciúme é fortíssimo e acaba por determinar grande tendência a rupturas dos vínculos.

Os homossexuais que se mantêm unidos ao longo das décadas provavelmente aceitaram o fato de que a intensidade do desejo sexual entre eles arrefece com o passar do tempo e com a boa qualidade da relação amorosa e de companheirismo – assim como tende a acontecer entre os heterossexuais que efetivamente se amam. É provável que muitos aprendam a não levar em consideração as aventuras eróticas superficiais e promíscuas tão ao gosto dos homens em geral e dos homossexuais em particular. Agem assim até porque também vivenciam esse tipo de experiência.

Essas considerações nos levam para um domínio extremamente complexo para o qual ainda faltam muitas explicações confiáveis. Descrevo os fatos mais do que os interpreto não por gosto, mas porque não me vejo munido de um arsenal de conceitos que me permitam avançar muito por ora. **O gosto de alguns homossexuais masculinos – e nisso as mulheres homossexuais são radicalmente diferentes – pela vulgaridade, pela troca de carícias com parceiros múltiplos e indiscriminados, que realizam em espaços públicos como saunas ou clubes, foi algo que assombrou a todos nos anos 1960/1970.** Essas ações se arrefeceram a partir dos anos 1980 em virtude do surgimento da aids. Porém, não desapareceram e continuam a ser parte importantíssima da prática de alguns e do imaginário de tantos outros.

As práticas sexuais de natureza casual e promíscua sempre foram mais do agrado masculino. As mulheres

Flávio Gikovate

que participam dessas atividades quase sempre o fazem por dinheiro. As casas de prostituição sempre existiram, e lá os homens encontravam mulheres disponíveis para qualquer tipo de atividade erótica, inclusive de natureza grupal. Elas costumavam estar nesses ambientes por terem sido expulsas de casa em virtude de terem agido em desacordo com os padrões de preservação da virgindade quando ainda solteiras – isso até há algumas décadas. Hoje, muitas estão nessa atividade por vontade própria e visando, antes de tudo, a uma condição financeira melhor. Umas poucas consideram que se trata de um local onde podem conhecer pessoas interessantes e bem-postas socialmente, sonhando até mesmo em talvez virem a se relacionar sentimentalmente com eles – o que, por vezes, acontece. Não é raro que o façam com alguma dificuldade emocional superada pelo uso de álcool ou de outras drogas (cocaína em particular). Muitas se preparam para abandonar o ofício e tratam de se qualificar profissionalmente para isso. Outras, mais imaturas, acabam mergulhadas nos malefícios das drogas e são arrastadas por suas consequências dramáticas.

Os homens têm propriedades biológicas que sempre facilitaram esse tipo de encaminhamento de suas práticas sexuais casuais: são dominados pelos estímulos visuais. Assim, qualquer contexto no qual estejam presentes fatores que estimulem seus olhos – tanto de natureza homo como heterossexual – imediatamente os excitará. As vestes exóticas que sugerem partes visualmente mais atraentes, como as roupas de couro, já são suficientes para determinar a excitação e o desejo de se aproximarem da situação que os estimulou. **Os estímulos visuais são facilmente produzidos e custam pouco, ou seja, não demandam obrigatoriamente o luxo; devem refletir disponibilidade e facilidade de acesso, ou seja, portas abertas para a rápida realização do desejo. Talvez a isso costumemos chamar "vulgaridade".**

Outra propriedade biológica que facilita esse tipo de encontro casual tem que ver com o fato de os homens experimentarem, de forma clara, o já citado "período refratário": depois que ejaculam, sentem um enorme alívio da tensão sexual, sentem-se descarregados, leves e sonolentos. Tal estado não acomete as mulheres depois do orgasmo, criando, do ponto de vista delas, alguns impedimentos para que venham a se interessar da mesma forma por esse tipo de "programa". Muitas mulheres – depois de adultas, é claro – não se divertem nem mesmo com a masturbação, pois não é raro que se sintam mais excitadas do que relaxadas depois da prática. As que esperam o mesmo tipo de reação que constatam nos homens acabam por se decepcionar e abandonar a prática. Outras, por falta de entendimento, se revoltam com a atitude masculina de pretender relaxar e dormir depois do ato sexual.

No homem, o desejo se esvazia de forma plena e extremamente satisfatória. Assim, por certo número de horas – ou de dias –, o homem está livre dessa pressão erótica intensa. Porém, os estímulos eróticos rea-

cendem o desejo, de modo que mesmo aqueles que se arrependem de ter participado de alguma atividade que envolvia esse clima de "baixaria" e "vulgaridade" acabam voltando aos mesmos locais.

Sendo fato que alguns heterossexuais sentem enorme fascínio por esses ambientes onde reinam, no mais das vezes, uma higiene relativa e uma atmosfera que parece desqualificar todos os que ali estão, que dizer de certos homossexuais? **Os ambientes nos quais o sexo casual é fácil e imediato são sempre pagos para os heterossexuais, uma vez que às mulheres não interessa esse tipo de atividade a não ser como meio de vida. Alguns homossexuais que se encaminham na direção do travestismo também se comportam de forma similar às mulheres, ou seja, trocam carícias eróticas com o objetivo maior de obter dinheiro.** Aliás, o universo dos travestis é cercado de enormes enigmas que ainda deverão ser decifrados. O fato é que seus "clientes" não são os homossexuais, e sim heterossexuais curiosos e fascinados por esses "seres" híbridos de homem e mulher. A maior parte dos heterossexuais que procuram os travestis o faz no intuito de ser possuída por eles. Talvez considerem que essa seja uma forma "atenuada" de prática homossexual, que lhes dá condições mais aceitáveis de experimentar os indiscutíveis prazeres da penetração anal.

Talvez o fim dos preconceitos relacionados com o tema, de modo que os heterossexuais possam se sentir com direito ao prazer anal nas trocas eróticas com suas

Flávio Gikovate

parceiras, diminua o fascínio pelos travestis. **Ao contrário do senso comum, creio que o fim dos preconceitos de todo tipo tende a diminuir a frequência das práticas que eles visam impedir. Nas questões humanas em geral, e nas do sexo em particular, é só proibir para que o desejo aumente! É difícil imaginar um contexto mais propício para todo tipo de promiscuidade do que o que existe entre dois homens. Ambos são estimulados pela visão e, por possuírem o período refratário, sentem-se plenamente gratificados com esse tipo de prática. Além disso, não sentem o medo, não raro nas mulheres, de se "perder" no emaranhado de seus desejos e não conseguir reconquistar a serenidade e a racionalidade,** uma vez que o período refratário é garantido e o indivíduo certamente voltará a ter pleno controle de si mesmo – ainda que tenha feito uso de drogas ou de medicamentos eroticamente estimulantes.

Como os dois se divertem de forma idêntica, não há necessidade da intermediação financeira. Ou seja, quase sempre o que está em jogo é a recíproca satisfação pelas práticas grosseiras, não raro agressivas e mais que vulgares. **É como se existisse um enorme fascínio pelo que não é próprio da cultura, como se o objetivo maior fosse o de voltarem a fazer parte do reino animal, desprovidos de qualquer pudor ou limite. Alguns trocam carícias com inúmeros parceiros em uma mesma noite, estabelecendo contatos os mais indiscrimi-**

nados possíveis. Não há o menor interesse, nesse contexto, em qualquer tipo de intimidade, troca de ideias etc. O estímulo erótico parece se abastecer, entre outros ingredientes, da mais absoluta falta de significado interpessoal. **Esse ambiente, não raramente chamado de "submundo", costuma ser frequentado por algumas das pessoas mais delicadas, inteligentes e criativas que habitam nosso "mundo".** Não deixa de ser chocante e difícil de entender como pessoas tão preocupadas com tudo que é belo, com tudo que tenha ótima qualidade e valor, possam ser encontradas trocando carícias com parceiros desconhecidos em um banheiro público sujo e malcheiroso. Quase sempre fazem isso sem tomar todos os cuidados necessários para a preservação da saúde, arriscando-se a contrair doenças graves e de prognóstico bastante complicado.

O que pretendem nos dizer as pessoas que se embrenham para valer nesses meandros surpreendentes? A única observação que me permito fazer com segurança é a de que suas práticas indicam de modo claro e inequívoco o caráter pessoal da nossa sexualidade, ou seja, os parceiros são irrelevantes, já que muitas vezes os encontros se dão nos quartos escuros das boates. **Não tenho dúvida também de que o universo virtual erigido em torno do mundo erótico poderá substituir com vantagem esse aspecto da sexualidade humana, transformando a masturbação em prática oficial – sem disfarces!** Porém, ainda restará o fascínio pelo caráter agressivo, ressentido, rebelde e até mesmo um tanto exibicionista que acompanha todos esses comportamentos; nesse aspecto, a reconstrução pela internet me parece mais difícil.

17 dezessete

Não posso deixar de fazer breves considerações acerca da homossexualidade feminina. Ela tem características próprias e não deve ser pensada como se fosse a contrapartida do que se encontra entre os homens. Do ponto de vista da sexualidade, a maior parte das sociedades dá tratamento bastante diferente a meninos e meninas, assim como a rapazes e moças. Precisamos nos habituar a tratar o feminino como detentor de peculiaridades intrínsecas, e nada melhor do que o tema da homossexualidade para que tentemos avançar um pouco mais nas diferenças, tanto biológicas quanto culturais, que ajudam a compor a identidade de homens e mulheres.

No passado, nossa cultura era regida pelos interesses masculinos, muitos deles derivados da enorme inveja e fragilidade do homem diante do poder sensual das mulheres. Elas despertavam – e despertam – forte desejo, desencadeado pela simples visão de seu corpo, e isso deixa o homem em situação inicial de inferioridade: precisa chegar perto e tentar ser bem recebido por ela. Isso, é claro, sempre favoreceu as mulheres mais belas e atraentes, de modo que é fácil entender também que as menos dotadas se sentissem prejudicadas e corroídas pela inveja.

O que os homens fizeram é sabido: excluíram as mulheres das atividades socialmente mais valorizadas e bem remuneradas. Ganharam poder por terem *status* e dinheiro, a fim de neutralizar aquele derivado da sensualidade feminina. Louvaram as vantagens de ser homem, de modo que os meninos sempre se sentiram privilegiados, superiores às meninas. As brincadeiras masculinas eram tratadas como mais relevantes do que as das meninas – que imitavam as atividades tradicionais femininas, igualmente tidas como menos importantes.

Se olharmos com objetividade e firmeza, parece que os homens conseguiram se convencer, e também convencer as mulheres, de que são membros do sexo mais forte – e não só fisicamente, sendo essa a única efetiva superioridade deles. Todos achavam bom que o primeiro filho fosse varão – e resíduos disso prevalecem até hoje –, pois teriam condições de dar continuidade ao nome da família e aos eventuais negócios que lhes pertencessem. **As meninas eram induzidas, de certa forma, a sentir inveja da condição masculina. É possível que em algumas épocas a inveja do pênis fosse muito mais frequente. Na minha mocidade ainda eram comuns aquelas que se achavam inferiorizadas por serem mulheres, mas muitas já tinham plena consciência de seus poderes e das fragilidades masculinas que determinaram o estabelecimento dos padrões culturais machistas.**

A inveja do pênis não é – e nunca foi – universal. Tende a decrescer, e hoje são muito poucas as moças que se consideram em desvantagem. É claro que o acesso das mulheres às atividades infantis masculinas só tem facilitado essa diminuição (curiosamente, as meninas é que têm se interessado pelas atividades deles e não há sinais do contrário). **Ou seja, o mundo em que os gêneros se tornam mais convergentes parece estar usando como padrão de referência o masculino tradicional, o que não deixa de ser uma pena e também um sinal da maior valorização, até mesmo por parte das mulheres, do estilo de vida e das atividades que eles construíram para si.** Teremos de verificar como isso se encaminhará ao longo das próximas décadas.

Talvez no passado algumas meninas tivessem se indisposto com as características de seu gênero, fato que sempre pode ser facilitado e agravado por um relacionamento difícil com a figura materna. Ou seja, aquelas que tinham mães revoltadas e ressentidas, agressivas e hostis para com suas filhas, ao mesmo tempo que eram mais delicadas e dedicadas aos filhos varões, podem muito bem ter desenvolvido sentimentos de raiva contra a mãe e se incomodado tanto com o modo de ser delas quanto com as peculiaridades culturalmente atribuídas ao feminino. Reconheciam que eram do sexo feminino, mas se recusavam a fazer parte do gênero feminino, deixando de incorporar as atitudes e atividades que lhes eram próprias. **A raiva contra a figura materna pode, como já sabemos, interferir negativamente no desenvolvimento da sexualidade, transformando o objeto de raiva em objeto de interesse sexual.**

Essas meninas cresciam e desenvolviam, de forma intencional, atitudes próprias do modo masculino de se vestir, gesticular e falar. Eram meninas que se esforçavam para parecer meninos. Eram alvo de ironia e deboche por parte deles, o que determinava certo isolamento – sim, porque não eram bem-vistas também pelas meninas. Não costumavam ser as mais belas, aquelas que chamavam a atenção para sua aparência de forma imediata e positiva. Quando bonitas, mesmo nos casos em que existem todos os motivos para a inveja da condição masculina, havia alguma intuição de que, no futuro, poderiam vir a se beneficiar desse aspecto da feminilidade tão valorizado pela cultura construída ao gosto dos homens.

Assim, esses personagens femininos que, desde criança e principalmente a partir da puberdade e adolescência, assumiam poses e posturas tradicionalmente masculinas – e até mesmo um tanto machistas – eram tidos como o protótipo daquelas moças que se encaminhariam na direção homossexual. Eram chamados por palavras que definiam a absoluta falta de delicadeza e feminilidade. Esse personagem feminino com posturas viris é cada vez mais raro de ser encontrado entre as moças mais jovens, aquelas que se tornaram adultas a partir dos anos 1980 e têm se beneficiado da forte tendência unissex que governa nossa cultura contemporânea.

Os homens, é claro, não demonstravam interesse em se aproximar dessas moças, nem elas pretendiam isso. **Assumiam a postura ativa típica dos rapazes e davam em cima daquelas que lhes pareciam minimamente receptivas.** Assim, encontravam parceiras que muitas vezes tinham uma postura indefinida, que aceitariam a abordagem vinda tanto delas como de rapazes. **A troca de carícias eróticas entre duas mulheres, assim como entre dois homens, é perfeitamente gratificante, sobretudo devido ao fato de a penetração vaginal não ser essencial para o prazer da maioria das mulheres (além de já existirem, há algumas décadas, "brinquedos" eróticos que substituem, por vezes com vantagens, o pênis).** Os relacionamentos que se iniciam de forma casual e quase por brincadeira podem, muitas vezes, ter uma evolução interessante, uma vez que o ingrediente hostil – parte essencial do caráter interpessoal da sexualidade masculina na grande maioria dos homens – costuma ser bem menor entre as mulheres, quando não inexistente.

O fato concreto e interessante é que, repito, essa figura feminina virilizada tão típica da homossexualidade feminina tradicional aparece, nos dias que correm, com uma frequência decrescente, assim como os homossexuais masculinos ricos em trejeitos afeminados. Por falar em frequência, é digno de nota registrar que o número de homossexuais femininas sempre foi inferior àquele verificado entre os homens. É curioso observar que hoje, nesse universo mais livre no qual as oportunidades profissionais, assim como em todos os aspectos da vida social, se abrem cada vez mais para as mulheres, existe uma forte tendência ao crescimento de parcerias afetivas de caráter homossexual. Ou seja, aumenta o número de moças e mulheres adultas que estão constituindo uma aliança amorosa estável entre si.

É sempre importante registrar que, no passado, apenas um pequeno número de meninas que não estavam contentes com o fato de ter nascido desprovidas do pênis tratava de imitar os jeitos e trejeitos masculinos. A maior parte delas apenas dava preferência aos jogos e atividades deles. Porém, elas gostavam quando eram embelezadas de forma mais atenciosa, quando ganhavam roupas e sapatos delicados e variados. Não gostavam de brincar de casinha e muito menos de ajudar a mãe nas tarefas de casa. Com a chegada da puberdade e adolescência, percebiam as delícias de ser objeto do desejo dos rapazes e, mais que depressa, se bandeavam para o estilo de vida feminino. Passavam a cultivar as propriedades exibicionistas típicas de muitas mulheres, especialmente aquelas que se deleitam – por vezes com uma clara intenção agressiva – em provocar forte desejo nos homens. Usavam seus dotes eróticos com o intuito de humilhá-los.

Essas mulheres muito provocantes raramente são as que cultivam as peculiaridades mais típicas do feminino. Detestam as atividades domésticas, nem sempre se tornam esposas ou mães dedicadas e muitas vezes são um tanto indolentes também nas tarefas escolares e no preparo para uma vida econômica mais

Flávio Gikovate

independente. Parecem só ter forças e energia – inesgotáveis – para se dedicar ao embelezamento pessoal e a tudo que possa aumentar seu poder sensual. Agradam muito os olhos masculinos, mas não costumam ser boas companheiras do ponto de vista sexual, uma vez que gostam mais de se exibir do que trocar carícias. Costumam se dar bem durante os anos da mocidade, época em que exibem plena beleza. Os anos não lhes sorriem e muitas vezes a amargura toma conta de sua maturidade e velhice.

O interesse sexual das que têm inveja do pênis, manifestada como já descrevi, volta-se essencialmente para os homens. Reafirmo que o sexo costuma acompanhar mais que tudo a agressividade; além disso, a imaturidade emocional própria das criaturas que não aceitam a frustração de ser como são (parte de um dado gênero) quase sempre as deixa com pouca capacidade para amar. Não fazem parte das que costumam se interessar nem mesmo pela "ingênua" troca de carícias entre as moças, fato mais que usual durante a puberdade e adolescência.

Por falar nesse assunto, é sempre bom registrar que o preconceito social contra a intimidade física entre duas mulheres é infinitamente menor do que aquele que se manifesta a propósito dos homens. Um rapaz mal pode tocar no corpo de qualquer outro, e em muitas culturas o beijo no rosto entre homens é interditado até hoje. Nada disso é – nem foi – válido para as meninas, moças e mulheres em geral: meninas púberes andavam nas ruas das cidades de braços dados, davam as mãos como os namorados e jamais tiveram medo, tão forte entre os homens, de que a intimidade física entre elas implicasse encaminhamento homossexual irreversível e irremediável.

Diversas moças trocaram carícias mais "picantes" com as amigas mais íntimas, e isso também era parte das vivências da puberdade e adolescência das décadas que passaram. É fato que de uns vinte anos para cá o "ficar" – troca de beijos e carícias físicas limitadas entre rapazes e moças que mal se conhecem, mas pertencem à mesma faixa etária e condição social – tem substituído boa parte dessas atitudes mais íntimas entre elas. **Mais recentemente tem acontecido um fenômeno interessante e inédito: o ficar vem se estendendo também para a intimidade entre duas moças!** Trata-se de algo novo porque não corresponde à troca de carícias praticadas dentro de um contexto de discrição – para não dizer de clandestinidade – entre duas amigas, criaturas que se conheciam e eram confidentes. O ficar é sempre uma prática pública.

O que isso significa? A meu ver, indica que estamos entrando em um período em que as mulheres vão transformar em norma práticas de caráter bissexual, exatamente como aprendem nos filmes eróticos que podem acompanhar com facilidade nos canais de TV a cabo ou pela internet. Vão se relacionar fisicamente com igual naturalidade com parceiros de ambos os sexos. É claro que muitas terão preferência por um ou outro tipo de intimidade; porém, do ponto de vista técnico, terão satisfação em ambos os casos. Muitas vezes duas mulheres estarão juntas com um mesmo homem, exatamente como acontece nos filmes. Pode ser que uma mulher se encontre fisicamente com dois homens, mas aí a situação é totalmente diferente, uma vez que eles não se tocam em hipótese alguma. **Duas mulheres e um homem constroem um tipo de intimidade completamente diferente daquela que se observa quando estão juntos dois homens e uma mulher justamente porque o preconceito masculino a respeito da homossexualidade ainda é forte.**

Mas esse não é o aspecto mais relevante do que estamos acompanhando, até porque não creio que essas experiências de sexo em grupo ganhem estabilidade e caminhem para além do desejo de saciar a curiosidade dos que estão se tornando adultos. O mais importante é que vem crescendo o número de moças que preferem estabelecer vínculos afetivos e sexuais com parceiras do mesmo sexo. É difícil dizer o que acontece antes: se o interesse erótico ou a intimidade sentimental. **O fato é que moças nada masculinizadas, de boa aparência, criaturas que no passado estariam buscando com sucesso um namorado, hoje estão encontrando uma namorada.**

As famílias se surpreendem, e com razão. Sim, porque não havia indícios de que seguiriam por essa via. Penso que nem mesmo elas sabiam que isso ia acontecer. Trilharam a rota do encontro amoroso e sexual

Flávio Gikovate

com uma parceira do mesmo sexo por força de uma série de circunstâncias facilitadoras próprias da contemporaneidade. Ainda não sabemos exatamente por onde essa tendência caminhará, pois os processos que envolvem a vida em sociedade são curiosos e, por vezes, pendulares.

De todo modo, sempre é conveniente tentarmos levantar algumas hipóteses a respeito do que está acontecendo, pois talvez isso nos ajude até mesmo a fazer previsões mais acuradas, condição essencial para crermos que nossas ponderações são verossímeis. A primeira variável é a que já citei: estamos diante de um contexto social muito mais permissivo, no qual as moças passam a praticar abertamente o que faziam na clandestinidade, qual seja, experimentar trocas eróticas mais fortes e capazes de provocar respostas orgásticas. Agindo dessa forma, percebem que podem sentir um prazer sexual de intensidade máxima. **O fato de o clitóris ser o órgão sexual feminino por excelência – e não a vagina, como tantos homens insistem em pensar – cria excelentes condições ótimas para a plena realização sexual.**

O afrouxamento dos preconceitos também tem contribuído para que mais moças se encaminhem nessa direção. Outros fatores podem ser brevemente citados. Um deles tem que ver com o fato de vivermos uma época que louva a perfeição física e a necessidade de homens e mulheres estarem sempre magérrimos e em plena forma. Muitas serão as moças que acabarão por se considerar fora do padrão mínimo exigido por esses novos critérios – mais que absurdos. **Se vierem a considerar pequenas suas chances de encontrar um parceiro sentimental digno de suas aspirações, e se perceberem que os encontros com outras moças que estão na mesma condição levarão a relacionamentos ao mesmo tempo gratificantes e muito menos exigentes do ponto de vista físico, não é impossível que optem por esse caminho. Talvez pareça que esse caminho foi escolhido por ser o mais fácil; porém, ele também pode ser entendido como uma manifestação de revolta contra uma cultura superficial e exibicionista que cultiva valores aristocráticos e medíocres.**

Uma outra variável que não pode ser desprezada está relacionada com o aspecto amoroso. A intimidade afetiva entre um rapaz e uma moça costuma se dar, entre outros motivos, por força do compromisso entre o sexo e a agressividade, entre opostos: um mais tolerante e outro mais agressivo e descontrolado. São relacionamentos tumultuados, difíceis e carregados de brigas, ciúme e inúmeros contratempos. **Não é raro que as relações entre duas moças se fundamentem em um vínculo de amizade, baseado mais que tudo em afinidades, onde o convívio sentimental é bastante intenso e prazeroso. O ciúme costuma ser mais ameno, uma vez que elas sabem que o sexo casual interessa mais aos homens. Podem, pois, estabelecer relações sexualmente gratificantes e sentimentalmente de ótima qualidade,** livrando-se dessa disputa e competição por uma aparência física espetacular, hoje em dia importante facilitador da inserção heterossexual.

Assim, são muitas as vantagens e razões que podem levar as moças para a rota da homossexualidade. Não espanta que esse contingente esteja crescendo. Se meu pensamento estiver correto, é legítimo supor que, se as relações heterossexuais não avançarem em qualidade sentimental e as pessoas não pararem de valorizar excessiva e obsessivamente a perfeição física – em especial a feminina –, o número de mulheres homossexuais será cada vez maior. É interessante registrar que, nesse caso, podemos falar com propriedade em opção homossexual.

18
dezoito

A complexidade que o sexo assumiu em nossa espécie parece-me cada vez mais surpreendente. Se no início tratava-se de um forte estímulo instintivo relacionado com a reprodução – e talvez por isso mesmo estivesse acoplado à agressividade própria dos homens mais competentes para o assédio erótico das mulheres, nem sempre tão numerosas e dispostas –, hoje ocupa enorme espaço no imaginário de quase todos nós, especialmente dos mais jovens. A associação entre sexo e agressividade continua a existir e se manifesta com vigor. Talvez um dia possa ser, se não desfeita, atenuada, e isso dependerá dos rumos que nossa cultura tomar.

No atual momento, estamos diante de fatos inequívocos: homens mais agressivos e até mesmo inconvenientes continuam a ser mais atraentes aos olhos da grande maioria das mulheres, da mesma forma que encantam os olhos masculinos as mulheres que se exibem de forma mais exuberante – e também utilizam critérios bem rigorosos para permitir a aproximação. **De forma genérica, podemos pensar que guardamos fortes resíduos do que possa ter sido nossa vida erótica selvagem. Gostamos de usar termos como "caça" como** sinônimo de sair para "paquerar", o que também equivale ao ato de ir à selva em busca de uma "fêmea" que agora deverá ser "envolvida" e seduzida por palavras mentirosas e não pela força física. A insistência vigorosa, porém, continua a ser muito bem-vinda pelas mulheres que, por se sentirem assim tão desejadas, aceitam cair na mesma esparrela por diversas vezes ao longo dos anos. Tudo leva a crer que, do ponto de vista sexual, evoluímos menos do que pensamos. Nossas fantasias são essencialmente "mamíferas" e envolvem propriedades que implicam transgressões às normas que todas as culturas impuseram ao pleno exercício dessa sexualidade animal, sem o que dificilmente teria sido viável o estabelecimento de algum tipo de ordem social estável. Normas restritivas são produzidas quase sempre vinculando uma mulher a um homem e interditando a existência de outros parceiros. O imaginário se torna o ambiente propício para que se exerçam os anseios que extrapolam as regras que precisamos respeitar, ao menos na aparência. A solução de transferir para o mundo das fantasias as extravagâncias sexuais que nos passam pela mente parece, via de regra, bem-sucedida. O fato de o sexo ser fenômeno essencialmente pessoal permite que nos entretenhamos ricamente com nossa imaginação e as práticas masturbatórias que a acompanham.

Talvez sobre um discreto gosto amargo derivado de que a realidade poderia produzir sensações mais fortes e intensas do que as imaginadas. É sempre interessante

Flávio Gikovate

reafirmar que a imaginação vem sendo intensamente abastecida pelos filmes pornográficos e pela internet – que, pelo menos no que diz respeito a esse tema, pode ser entendida como um espaço intermediário entre a realidade e a imaginação. A chamada "realidade virtual" é realidade ou é virtual? Volto ao tema logo mais.

Entre as fantasias de todos – e a prática de alguns – estão as diversas formas de sexo que envolvem mais de duas pessoas. **As fantasias mais comuns são aquelas que envolvem uma terceira pessoa nas trocas eróticas em que os outros dois formam um casal estável. Essa terceira pessoa pode ser de ambos os sexos, mas o mais comum (e também o menos ousado) é que seja uma segunda mulher, de preferência profissional do sexo. Pode ser uma amiga do casal que se disponha a participar da fantasia deles.** A terceira pessoa pode ser também um homem, e nesse caso trocará carícias apenas com a mulher – cujo parceiro se torna observador e se excita ao assistir à cena erótica entre os dois – ou, então, o que é bem mais raro, fará sexo também com o homem. Sabemos que os preconceitos acerca da homossexualidade masculina são bem mais rigorosos do que os que envolvem o universo feminino, de modo que são poucos os homens que se sentem confortáveis numa situação erótica com outro homem (ainda mais na presença da companheira).

As situações que envolvem mais pessoas podem também incluir outro casal, condição em que os pares trocam de parceiro, tudo sob a observação atenta dos "titulares" que concordam, participam e controlam tudo que se passa. Tais trocas podem acontecer em clubes especializados ou entre pessoas que se correspondem e se conhecem pessoalmente ou na internet. Podem acontecer ainda encontros maiores, envolvendo vários homens – quase sempre amigos alcoolizados – e mulheres – prostitutas – que vão a algum recinto reservado para "festas" em que ninguém é de ninguém e teoricamente tudo é possível. Essas bacanais, sempre regadas a muita droga, fazem parte do imaginário de algumas pessoas e são postas em prática, ao longo dos séculos, pelas classes sociais mais altas. Correspondem ao que costuma acontecer nas saunas e clubes frequentados por homossexuais masculinos, onde nem sempre existe a intermediação do dinheiro como facilitador da troca de carícias entre desconhecidos.

Minha experiência clínica me permitiu cruzar com inúmeras pessoas que tiveram a oportunidade de exercer suas fantasias eróticas com mais parceiros. Acompanhei histórias um tanto dramáticas, que vão desde a revolta de um dos membros de um casal estável contra essas práticas – revolta essa que implicava duvidosa acusação do parceiro como o agente provocador dos acontecimentos – até o encontro de criaturas mais interessantes que acabaram por determinar a ruptura daquelas alianças que se consideravam estáveis. O sexo grupal praticado com prostitutas costuma se tornar desinteressante rapidamente, além de só acontecer em situações nas quais as pessoas estão fora do seu estado natural. Talvez seja interessante para selar alianças entre homens, cúmplices de atos que precisam ser tratados com reserva, alianças essas que podem estar a serviço de outros propósitos, inclusive de caráter comercial.

O fato é que desconheço histórias de vivências envolvendo sexo grupal que tenham se tornado rotina na vida das pessoas. É como se a experiência deixasse um gosto de decepção. Parece que os resultados concretos não são tão interessantes quanto a imaginação supunha. E isso tem, entre outras, uma razão prática relevante: a concomitância de dois estímulos eróticos, ao contrário do que se pode pensar inicialmente, subtrai a força de cada um deles. Ou seja, um mais um é igual a menos do que um! Mesmo aqueles que nunca praticaram sexo com mais de um parceiro sabem disso: se um homem pratica e simultaneamente recebe as carícias correspondentes ao sexo oral de sua parceira, experimenta uma sensação prazerosa menor do que se cada ato fosse feito isoladamente. O mesmo vale, é claro, para a mulher. A concomitância cria confusão no nosso sistema nervoso, assim como a presença de duas dores fortes faz que sintamos menos cada uma delas. Se, no caso da dor, provocar uma a mais pode nos trazer benefícios, do ponto de vista do sexo as fantasias relacionadas à concomitância de múltiplos estímulos são bem mais excitantes do que aquilo que acontece na realidade.

Muitos dos sonhos eróticos, quando colocados em prática, são, pois, decepcionantes. Parece que, ao menos nessa fase da nossa história cultural, foram feitos para preencher nosso imaginário mais do que para ser vividos. O momento é curioso, pois pela primeira vez criamos condições para uma vida sexual mais livre sem que isso implique obrigatoriamente qualquer tipo de desorganização social. A contemporaneidade individualista depende muito menos da estabilidade e solidez da vida familiar, de modo que o fato de as pessoas tratarem de vivenciar tudo que imaginam do ponto de vista sexual não provocaria nenhuma grave desordem prática. Alguns homossexuais masculinos são a prova disso, pois vivenciam o sexo dessa forma mais impessoal sem prejuízo pessoal, social ou profissional. Porém, nem por isso a maioria das pessoas tem interesse em tais vivências concretas, satisfazendo-se perfeitamente com a liberdade que se exerce no imaginário e no universo virtual à sua disposição.

Penso cada vez mais em quanto nossa sexualidade está sendo influenciada pelo mundo do erotismo e da pornografia que foi criado por esse curioso caminho da "realidade virtual". **Sempre levando em conta que o sexo é um fenômeno pessoal, é claro que esse mundo quase interpessoal – mas ainda pessoal – é ambiente propício para o florescimento de uma infinidade de situações que não são tão reais, mas podem ser vistas – ou ouvidas – pela tela de um computador. Podemos assistir passivamente a filmes e entrevistas eróticas.**

Flávio Gikovate

Podemos "interagir" com personagens desconhecidos que estejam em outro local e são alcançados graças a câmeras e microfones. Podemos participar de salas de bate-papo e "conhecer" pessoas para eventuais encontros reais – que podem jamais acontecer. O clima de excitação costuma atingir a intensidade suficiente para que, graças a discretas manipulações, homens e mulheres se encontrem com suas respostas sexuais mais fortes, por vezes até mais do que aquelas experimentadas em uma troca de carícias com um parceiro real com quem não se manteve nenhum tipo de relacionamento interpessoal efetivo.

O universo virtual está, do meu ponto de vista, ensinando muito sobre a verdadeira natureza da nossa sexualidade, especialmente seu caráter pessoal – o que inclui intensas sensações intermediadas pela estimulação da fantasia com imagens ou personagens com os quais nos conectamos apenas por alguns minutos.

Ele tem nos ensinado muito também acerca da nossa vida sentimental, uma vez que não é difícil ouvirmos histórias de pessoas que se apaixonaram por criaturas que "conheceram" na internet. A intimidade acaba se estabelecendo por intermédio das mensagens escritas que tratam de revelações sinceras a respeito de si mesmas, o que acaba definindo uma velocidade de conhecimento mútuo muito maior do que a que costumamos encontrar na realidade. No mundo virtual, parece que o medo do encantamento amoroso não é tão intenso como na realidade. Assim, com maior facilidade surgem casos amorosos, em que as pessoas tendem a, de fato, se encontrar. Nem sempre os dois estão dispostos – com coragem – ou disponíveis, o que pode determinar sofrimento equivalente ao que acontece nos casos de rejeições da vida real. Os encontros podem ou não confirmar o que sentiam um pelo outro, uma vez que aí aparecem novas variáveis que estavam em segundo plano enquanto a vivência era essencialmente fantasiosa. Também aqui precisamos de muita observação e mente aberta para fazer previsões acerca de qual será o destino mais provável dessas vivências.

O universo virtual é procurado também por pessoas cujas fantasias têm um caráter um tanto extravagante em relação aos padrões mais tradicionais. Alguns homens sentem enorme prazer em se vestir como mulher. O intuito é manter contato físico efetivo com mulheres, de modo que buscam parceiras para esse tipo de vivência na qual não há, portanto, qualquer tipo de fantasia homossexual. Não sei como explicar o surgimento desse anseio. Outros buscam parceiros para suas fantasias sadomasoquistas, demonstrando de forma clara as íntimas correlações entre sexo, poder e agressividade. Muitos homens se aventuram em busca de sensações eróticas de caráter anal que tanto os excitam e envergonham; e assim por diante. Não me atrevo sequer a me aproximar, ao menos por ora, de temas que não domino por não ter

Flávio Gikovate

tido oportunidade de conhecer de perto, como é o caso da pedofilia.

Não gostaria de encerrar estas considerações incompletas sobre um tema assim novo sem registrar eventuais problemas e desdobramentos perturbadores que podem advir do fato de que nossos jovens estão cada vez mais se formando sexualmente dentro desse universo. **Dois aspectos necessitam ser levantados desde já: o primeiro diz respeito ao fato de que as vivências reais poderão ser um tanto decepcionantes, uma vez que aquilo que se sugere no mundo do imaginário é muito atraente e estimulante. Sempre que a realidade precisa competir com o imaginário e o mundo das ideias, temos a sensação de que a primeira é um tanto mais singela, uma cópia diminuída da última. O mundo real é menos rico, menor, que o mundo das ideias e dos pensamentos. Ao menos é como sentimos!** Ao imaginarmos muitos dos detalhes de uma viagem que desejamos fazer, por exemplo, poderemos supor maravilhas que não se confirmarão quando partirmos para sua realização. É preciso ter isso em mente para que nossos jovens não sejam pegos de surpresa e se decepcionem indevidamente com o sexo real. Talvez isso aconteça em relação ao sexo casual, e aí será um subproduto muito bem-vindo! Agora, do ponto de vista das relações amorosas, terão de ser muito bem instruídos para não se confundir mais do que as gerações anteriores já o fizeram.

Por último, o mundo da pornografia pode estar nos ensinando um modo equivocado de praticar o ato se-

xual. Já registrei e gostaria de reafirmar o mais grave deles: o orgasmo vaginal não é uma propriedade natural da maior parte das mulheres. A vagina tem função reprodutora, de modo que por ela deverá passar a cabeça de um bebê de mais de 15 centímetros de diâmetro. Se fosse zona altamente inervada, a dor do parto seria insuportável. É possível que muitas mulheres desenvolvam enorme prazer ao ser penetradas, possuídas por seus parceiros queridos. Pode ser que algumas aprendam a ter uma reação orgástica nesse contexto. Porém, isso não é obrigatório e não deveria ser parte tão fundamental do que se tem praticado em decorrência do que as pessoas assistem nos filmes eróticos[16]. Os homens não deveriam voltar a esse padrão, que já havia sido superado, de achar que deverão produzir prazer orgástico em suas parceiras graças à prolongada e, por vezes, maçante repetição de atos que mais parecem exercícios físicos; nem as mulheres deveriam cobrar de si mesmas esse tipo de prazer que, se acontecer, deverá se dar espontaneamente.

Qual o desdobramento desse engano? A tendência das mulheres, que hoje não querem em hipótese alguma se sentir incompetentes ou por baixo nessa área, de fingir orgasmos, imitando o que veem nos filmes.

16 A propósito deles, também se pode perceber o retorno da preocupação masculina com o tamanho do pênis, pois os filmes se valem, com frequência, de homens "bem-dotados". Sempre é bom registrar que isso pode ser interessante do ponto de vista das filmagens, mas na realidade a maior parte das mulheres se queixa mesmo é de dor ao serem penetradas por pênis de dimensões muito maiores do que a profundidade do saco vaginal delas.

Os homens, totalmente incompetentes para distiguir o que é verdadeiro do que é falso, acabam se sentindo um tanto heroicos ao se reconhecerem portadores dessa competência. Trata-se, de certa forma, de um jogo que envolve alguns ingredientes a mais e vale as observações que se seguem.

dezenove

Não podemos tratar da questão sexual sem que, periodicamente, voltemos às relações de poder entre homens e mulheres, assim como sua disseminação para a vida social como um todo. **O poder sensual feminino depende da existência de um intenso desejo visual masculino, que é sentido como uma ordem. Curioso pensarmos assim de um simples desejo, algo cuja não realização deixa apenas o gostinho amargo próprio de qualquer frustração. Porém, talvez porque na selva primitiva os homens não tivessem de passar por esse tipo de privação** (podiam, graças à força física, se atracar com a mulher que desejassem), **e também porque a recusa de uma delas representasse uma dor peculiar relacionada com a humilhação, ou seja, com grave ofensa à vaidade, tenha sido tão difícil para os homens aprender a absorver esse tipo de desconforto psíquico.**

Não devemos desconsiderar o fato de que as mulheres sempre puderam recusar a aproximação sexual de todos os homens que não os maridos (ou, antes disso, seu equivalente). Só de poucas décadas para cá elas ganharam o direito de dizer "não" até mesmo aos próprios companheiros; antes precisavam honrar seus "deveres conjugais", tratados dessa forma porque não se cogitava a ideia de que o sexo tivesse de ser prazeroso também para elas. Ao considerarmos que os casamentos de antigamente não eram fundados em sentimentos amorosos nem em escolhas voluntárias dos jovens, é claro que o interesse erótico por outras mulheres que não as suas era talvez ainda maior do que hoje. As proibições de caráter religioso e mesmo os eventuais riscos de punições terrenas nunca impediram os humanos de transgredir as normas. Ao contrário, parece que a proibição só faz aumentar o desejo.

As mais belas eram cobiçadas por muitos homens além de seus maridos, cabendo a elas, caso desejassem, escolher a quem receberiam. Eles, como já afirmei, dependiam da cumplicidade delas para que houvesse o encontro, o que representava uma condição inusitada. Iniciou-se a disputa masculina com o objetivo de se fazerem atraentes e interessantes aos olhos das mulheres, fato novo que talvez tenha contribuído para a aceleração do ritmo tanto produtivo como competitivo nas sociedades que mais se sofisticaram.[17] Como não poderia deixar de ser, essa nova situação privilegiava antes de tudo as mulheres mais belas e atraentes. Talvez isso também tenha instigado disputas e competições entre aquelas que buscavam, pela via de

---

[17] Não sei avaliar o peso dessa variável sobre a vida econômica e sobre o impulso que possa ter imprimido aos processos de natureza produtiva. Apenas considero fundamental levá-lo em conta, ao lado de outros relacionados com a inquietação intelectual que nos leva a procurar continuamente avanços e conhecimentos úteis – que tão bem combinam com a ganância e a vaidade que tanto nos influenciam na busca de destaque.

relacionamentos paralelos àquele de natureza conjugal, destaque e poder dentro da comunidade. A disputa entre os homens sempre foi mais óbvia e direta. Talvez sejam mesmo mais agressivos e competitivos por força de disposições hormonais, já que era imperativo para que seus genes se perpetuassem com mais facilidade. Assim, partiram para a busca do que pudesse abrir as portas para a abordagem daquelas com quem pretendiam se achegar. **Tornaram-se poderosos não só para deleite pessoal e vitória sobre os concorrentes, mas também porque isso implicava um prêmio muito especial: a admiração feminina. É claro que, para isso, teriam também de excluí-las do acesso direto ao sucesso que elas admiravam, de modo que o poder público foi exercido apenas pelos homens, que usaram isso para neutralizar o poder sensual que era a grande arma delas.**

Homens poderosos passavam a ter acesso às mulheres cobiçadas. Nada de muito diferente do que ainda se pode observar em certos ambientes luxuosos e extravagantes nos dias que correm. **Aí temos o jogo de poder manifesto de forma escancarada: milionários poderosos desfilam com mulheres, quase sempre bem mais moças, lindas e provocantes. Despertam a inveja de muitos, que sonham para si essa vida que lhes aparece como deslumbrante e glamorosa.** Felizmente uma boa parte da população, em especial a feminina, não vê mais as coisas dessa ótica. Buscam a independência e não desejam conquistar alguém de quem dependerão e que, mais dia menos dia, as trocará por outras mais jovens e mais belas. Não querem ficar à mercê de uma situação instável que, no fundo, não pode deixar de ser sentida como um tanto humilhante e degradante.

As moças de hoje – mesmo as mais atraentes – querem se informar, estudar e se preparar para uma vida dedicada também ao trabalho e à construção de uma história pessoal digna e consistente, que não dependa do humor de seus namorados ou maridos. Mesmo quando são economicamente dependentes deles, não são e não querem ser tratadas pelos companheiros como figuras a serem exibidas socialmente, como conquistas. Almejam a condição de parceiras, de personagens que têm um papel definido e fixo na vida familiar que pretendem ajudar a construir.

Os homens estão cada vez mais conscientes de que os tempos são outros, e muitos dos mais jovens perderam inclusive a motivação para a plena e intensiva dedicação às suas pretensões intelectuais e profissionais. É uma pena, mas parece que para os rapazes o maior estímulo era mesmo buscar algum tipo de reconhecimento social com o intuito de facilitar o acesso às moças que lhes despertavam o desejo. Até há pouco, os rapazes de 15 anos percebiam que as moças da mesma idade nem olhavam para eles. Estavam atentas aos de 17 ou 18, que já estivessem mais avançados nos estudos ou se destacando em algum tipo de atividade social ou esportiva. Elas preferiam os mais velhos porque admiravam suas qualidades e imaginavam que poderiam atingir mais rapidamente seus objetivos matrimoniais. Está tudo muito diferente hoje em dia, pois desde os 13 anos de idade elas ficam com rapazes da mesma faixa etária e, ao que parece, não veem mais nos homens os provedores, os que lhes dariam garantias de sustento futuro. Pensam nisso como algo que devem conquistar por si. A mudança foi rápida e radical. **Espero que essas transformações redundem no fim das disputas e jogos de poder entre os sexos. Porém, ainda não é o que observamos na realidade das pessoas mais velhas. Juntamente com os esforços na direção da independência financeira, as mulheres continuam a se embelezar para provocar o desejo e interesse dos homens.** Oficialmente, o fazem no intuito de encontrar um parceiro sentimental estável. Porém, a realidade muitas vezes mostra que sentem enorme prazer em desfilar e chamar a atenção de inúmeros homens, que tentam a abordagem quase sempre sem sucesso. Apesar do esforço em se tornar mais independentes, continuam a admirar aqueles que são mais bem-sucedidos que elas, sendo estes disputados e tidos como os maridos ideais. **Ainda são muito poucas as que consideram a delicadeza de alma e as virtudes de caráter os principais ingredientes a ser buscados naqueles com quem pretendem conviver intimamente. A competição continua a se dar em torno dos que são mais bem-sucedidos, ainda que num nível atenuado e bem menor do que aquele que descrevi há pouco.**

Flávio Gikovate

Muitos são os homens que continuam a ver as mulheres apenas como objeto de caça e conquista. Sentem raiva delas justamente porque as desejam e têm de correr o risco de rejeição. Sofisticam suas armas, afiam as garras e vão à luta, buscando, por quaisquer meios, atingir o objetivo de levá-las para a cama, condição única na qual se sentem vencedores. As mulheres, seduzidas pela vaidade que se infla graças à insistência do conquistador, acabam cedendo e se iludem pensando que aquilo que ouviram continha alguma verdade. **Depois do ato sexual, a situação se inverte: o homem, desprovido do desejo, volta a ser o senhor; a mulher, por ter aceitado aquela intimidade, se desvaloriza e passa a se sentir por baixo.** Espera o telefonema do dia seguinte como o fato que resgatará sua dignidade, e é claro que não o receberá. O macho se vinga por meio dessa humilhação tardia que impõe a ela.

O que mais chama a atenção é que essa história pode se repetir inúmeras vezes. O que esperar de encontros desse tipo senão o mesmo final? Que vantagem homens e mulheres experimentam nesse tipo de intimidade fundamentada essencialmente na disputa por um poder mais que momentâneo? Quanto tempo e energia despendidos, quanto dinheiro gasto na produção do corpo com o objetivo de serem partícipes de um enredo assim repetitivo! É claro que uma sociedade cuja economia está baseada no consumo – e em grande dose de ingredientes supérfluos – tem mais é que estimular essa conduta, na qual o rancor e os ressentimentos só podem crescer. A vaidade humana, esse prazer erótico derivado do destaque e do chamar a atenção das pessoas, deve se regozijar com tudo isso. Trata-se de impulso instintivo difícil de ser administrado. Porém, se deixado solto, produz absurdos como esse.

Continuo chocado quando penso que os homens e as mulheres pouco competentes para esse jogo maldoso, agressivo e mentiroso adorariam fazer parte desse grupo. Sim, porque esses é que são valorizados socialmente; são tidos como os mais sociáveis, são extrovertidos e bem-sucedidos com o sexo oposto. Bem-sucedidos? Aparentemente sim, pois nas noitadas conseguem se mostrar competentes para algum tipo de "conquista", de modo que não voltam para casa desacompanhados. Mantêm uma relação sexual que não pode deixar de ser medíocre – é muito raro que a intimidade entre duas pessoas que mal se conheçam seja muito mais que isso – e depois se veem diante do problema de ter de se livrar um do outro. Como continuar a considerar isso um entretenimento valioso, digno de provocar inveja naqueles que não sabem mentir, naquelas que não sabem seduzir com o uso de roupas extravagantes, gestos e olhares provocadores?

A isso se costuma chamar liberdade sexual. Não nego que, vez por outra, o surgimento de oportunidades eróticas inesperadas e sem compromisso tenha seu charme, especialmente quando ocorre de forma casual, despretensiosa e baseada em algum tipo de identificação empática. Caso surja a possibilidade de alguma continuidade, tais encontros podem criar condições interessantes para que duas pessoas conheçam um pouco mais tanto do outro como de si mesmas. **A intimidade verdadeira nos ajuda muito no autoconhecimento. Encontros de qualidade, ainda que casuais, acontecem vez por outra. Porém, transformar isso em estilo de vida acaba por tornar a existência maçante e tediosa.**

É curioso notar que, do ponto de vista das mulheres, a partir do momento que elas se deixam levar para o relacionamento sexual parece que sentem ter perdido totalmente seus poderes. **Isso é particularmente verdadeiro quando são do tipo que se entrega aos prazeres orgásticos. Aí então é que sua postura ganha contornos de submissão incrivelmente parecidos com o que era próprio delas no passado. Sentem como se passassem a "pertencer" àquele homem que, por sinal, se desinteressa delas.** Assim, da perspectiva feminina, o sexo sem compromisso só deveria ser praticado por aquelas capazes de buscar "apenas" o prazer derivado da troca de carícias e livres desse complexo de emoções e sentimentos que definem o caráter simbólico do sexo – que, até hoje, acompanha quase todos nós.

Os propósitos podem ser os melhores, especialmente os que povoam o imaginário feminino sempre em busca do encontro de um parceiro sentimental estável. Mas não há como negar que as mulheres reincidem em erros grosseiros quando percorrem os caminhos, estimulados pela contemporaneidade, de se tornar atraentes e frequentar os locais em que o sucesso é ser assediada pelo maior número de homens, enfeitiçados pelo desejo que elas lhes provocam. Despertam o desejo, a inveja e a raiva. O resultado quase sempre é previsível e desastroso. Não é por aí que se chega aos encontros sentimentais. **Os caminhos do erotismo são de natureza peculiar e, apesar da propaganda, não têm nada que ver com os do amor e da amizade. Não será pela busca da perfeição física – horas e horas semanais em academias, intervenções cirúrgicas, restrições alimentares radicais etc. – que terão sucesso na vida sentimental. Essa trilha, seguida cada vez mais também pelos homens, culmina em um erotismo biológica e culturalmente comprometido com a agressividade, com jogos de poder e hostilidades invejosas de todo tipo.**

A estratégia socioeconômica que nos cerca, baseada no consumismo desvairado, está em íntima conexão com os desígnios da vaidade e da busca de sucesso nesse jogo erótico de sedução e conquistas que não pretendem desembocar em nenhum tipo de troca subjetiva e muito menos em verdadeiras alianças sentimentais. **A estimulação dessa forma de erotismo está, pois, em franca concordância com tudo que é mais conservador em nossa sociedade. O reinado do desejo, de certa forma estimulado por várias das doutrinas psicológicas influentes ao longo das últimas décadas, não pode deixar de desembocar no elogio da juventude e da beleza, do luxo e da competição desvairada por sucesso.**

A felicidade humana não faz parte do projeto; ao contrário: pessoas frustradas aderem mais facilmente às normas e aos valores propostos pelo meio. Assim, repito o que tenho escrito em diversas ocasiões: a razão, essa parte da nossa subjetividade que recolhe as informações derivadas dos sentimentos e tenta harmonizá-las com o que observamos, ao mesmo tempo que respeita valores íntimos que cultivamos, tem estado quase inativa. Somos tomados por pressões culturais fortíssimas que atiçam diretamente nossos impulsos instintivos, de modo que pouco decidimos a respeito da vida. Em vez de sermos criaturas biopsicossociais, temos sido seres biossociais. O discurso é o da máxima liberdade individual; no entanto, nunca estivemos tão escravizados e padronizados como agora.

20 vinte

O que podemos esperar daqui para a frente? A continuação do mesmo enredo, levando cada vez mais as pessoas na direção do consumismo, da competição, da inveja e da rivalidade? Ou pode-se esperar algum tipo de reversão do processo, assim como um pêndulo que chega ao limite de um lado e tende a voltar para o lado oposto? Tenho tido uma postura mais otimista nos temas que desenvolvo, sempre esperando mudanças de caráter positivo e num prazo de tempo mais ou menos curto. E tenho me equivocado sistematicamente. Não bastam boas ideias para que o rumo de uma comunidade se altere. Isso pode acontecer no âmbito da vida de cada indivíduo ou de sua família; nesse aspecto, continuo com a esperança de sempre, uma vez que tenho acompanhado importantes mudanças em muitas pessoas de boa vontade e dispostas a encontrar um estilo de vida mais gratificante e feliz. Porém, no que diz respeito ao coletivo, tenho de me colocar de forma mais realista, ciente de que qualquer pequena mudança já deve ser considerada muito bem-vinda. E mais, precisamos aceitar que as ideias podem interferir positivamente, mas não têm o poder de influência similar ao das alterações que acontecem no ambiente graças aos avanços tecnológicos – também derivados de ideias, porém mais voltadas para a prática do cotidiano. São geradas por mentes inquietas e delas se valem aqueles empreendedores que, por vezes, são mais que tudo sedentos de poder e dinheiro.

Tenho insistido repetidamente que a grande e relevante inovação tecnológica que diz respeito à questão sexual relaciona-se com a crescente importância da chamada realidade virtual, termo interessante porque indica que se trata, de certa maneira, de uma nova forma de "realidade" que se processa numa nova dimensão.

O sexo, fenômeno essencialmente pessoal que sempre se abasteceu mais que tudo do que produzimos em nossa imaginação, parece combinar maravilhosamente com esse novo mundo criado pela tecnologia da informática. Dessa forma, a indústria pornográfica ganhou um impulso extraordinário ao longo das últimas décadas. Os *sites* de relacionamento vêm se tornando "locais" altamente frequentados por pessoas de todos os níveis socioculturais; aqueles mais diretamente associados com atividades sexuais de todo tipo – ortodoxas e heterodoxas – também têm um crescente número de adeptos, de sorte que toda natureza de fantasias e desejos encontra espaço para se expressar.

Dadas as características da nossa sexualidade, que pedem determinados tipos de estímulos visuais ou certas formas de fantasia que nos excitem para que possamos estimular nossas zonas erógenas e extrair

dessa ação o prazer, é bem provável que a participação no universo virtual ganhe crescente espaço na vida das pessoas. Isso será especialmente verdadeiro para as que não estiverem vivenciando relacionamentos afetivos estáveis e de boa qualidade – ou seja, a grande maioria da população. Poderá acontecer também com quem esteja satisfeito com seus relacionamentos reais, uma vez que a curiosidade acerca da sexualidade é marcante para quase todos que crescemos em um ambiente onde algum tipo de repressão nessa área estimula o desejo de ultrapassar as fronteiras que separam o permitido do proibido.

A riqueza e as facilidades encontradas nesse novo mundo "real-virtual" tão propício para o erotismo talvez venham a competir, com boas chances de levar vantagem, com o universo do sexo casual tão tradicionalmente ao gosto dos homens e tão tentado pelas mulheres que querem se sentir mais livres e independentes. É claro que a realidade contém alguns ingredientes que a diferenciam do universo virtual. Penso que o mais relevante sejam os preparativos para a "caça": as mulheres tratam de comprar roupas atraentes, se enfeitam no intuito de se tornar interessantes aos olhos dos homens, se perfumam, ensaiam sorrisos e gestos diante do espelho, e assim por diante. É evidente que esse ritual já contém elementos eróticos ligados à vaidade, prazeres relacionados com os prováveis sinais de desejo e assédio que lhes acontecerá horas depois em algum bar ou balada. O preparo masculino é mais discreto e, apesar de todos os esforços da indústria de torná-los igualmente preocupados com a aparência física, ao que parece isso só redundou em maior empenho em exercitar o próprio corpo em academias, sempre para ficar em forma e no peso ideal – que se tornou um anseio universal efetivo.

Aqueles que são competentes para o jogo erótico de sedução e conquistas talvez continuem a se deleitar com suas noitadas, quase sempre regadas a muito álcool ou outros entorpecentes. Talvez seu organismo resista bem e os efeitos desagradáveis dos exageros da véspera sejam de pequena monta. Talvez não se incomodem tanto com o transtorno de estar na cama com criaturas que mal conhecem, de quem desconhecem os gostos e preferências sexuais – e também não sabem nada dos seus. Talvez a sensação de vitória – tanto deles como delas – por ter sido capazes de mais uma conquista se sobreponha a todos os desconfortos que já descrevi repetidas vezes.

Porém, o que dizer daqueles que não são tão bem-sucedidos na disputa de cada noitada e voltam para casa desacompanhados? Dá para imaginar seu grau de frustração. Homens mais tímidos e menos agressivos não chegam perto das mulheres que lhes despertaram o interesse a não ser que elas deem inequívocos sinais de que serão bem recebidos. Moças menos ousadas, não tão atraentes e uns quilos acima do peso têm medo de dar sinais de aceitação porque eles podem ser infrutíferos, fazendo-as sentir-se extrema-

Flávio Gikovate

mente humilhadas. Acaba que, tanto para eles como para elas, nada acontece. E se chegam a se aproximar nem sempre têm competência para as conversas vazias e ousadas necessárias para esse momento. Para essas pessoas não se trata de diversão, e sim de um grande suplício: são noites de frustração e dor. Insistem em passar por esse desconforto porque o padrão cultural pede que as pessoas solteiras saiam em busca de companhia e porque ficar em casa numa noite de sábado é deprimente. **Seguem a norma e são obrigados a reconhecer que não têm as habilidades sociais que delas se esperam. São os perdedores.**

Não creio que seja absurdo supor que boa parte das pessoas, especialmente as introvertidas e apreciadoras de conversas mais consistentes, passe a dar preferência e busque uma participação mais ativa nos eventos que acontecem no novo mundo da internet. Lá as coisas são mais fáceis para eles: as conversas iniciais se dão por escrito e há tempo para ponderar acerca do que vão responder. Não é difícil se livrar de algum "parceiro" que tenha se mostrado desinteressante e cuja ignorância logo se manifesta pela forma como escreve. A aparência física continua a ter importância, mas indiscutivelmente é bem menor. As pessoas podem se conhecer um pouco melhor e "conversar" mais do que numa balada, onde a música impede qualquer tipo de comunicação para além da troca de olhares.

A intimidade pode – ou não – avançar um pouco mais antes de pensarem em compartilhar suas fanta-

sias eróticas. Podem vir a se "reencontrar" outro dia. Podem abreviar os desconfortos relacionados com o que acontece depois do clímax. Não estão sujeitos a cruzar com pessoas de cujo cheiro não gostam, não correm o risco de contrair doenças sexualmente transmissíveis, não gastam dinheiro à toa. Não necessitam se embriagar nem ter o mal-estar correspondente no dia seguinte, tampouco encontrar parceiros que não sabem como agir para lhes satisfazer sexualmente e com os quais não têm intimidade para se expressar com franqueza.

As atividades eróticas na internet correspondem a uma nova fonte de riqueza e envolvem importantes interesses econômicos. Porém, são danosas para muitos aspectos da economia que produzem bens materiais: a indústria do vestuário, dos cosméticos, dos perfumes, dentre outras, será prejudicada se crescer o número de criaturas que prefiram o mundo virtual. Uma minoria de pessoas é bem-sucedida no seu empenho, efetivado por aquisições materiais, de chamar a atenção do sexo oposto. A maior parte dos homens e mulheres acaba seguindo padrões de consumo por força das crenças e pressões do ambiente, e não porque se considera recompensada pelos seus gastos.

Penso que o maior obstáculo a ser superado para que a "realidade virtual" ganhe mais terreno e venha superar em importância e interesse os encontros "reais" de caráter forçado – esses que acontecem em

determinados horários e em pontos de encontro frequentados por pessoas sozinhas – é a crença de que a masturbação é uma forma menos digna e rica do que as trocas de carícias reais. Ou seja, valorizamos o ato de tocar e ser tocados por uma pessoa, ainda que um, como algo de magnitude e valor muito maior do que o ato, repetido desde a mais terna infância, de nós mesmos estimularmos as zonas erógenas. **Um homem pode frequentar um prostíbulo e se encontrar com uma mulher cujo nome desconhece e o trata pelo termo genérico de "bem", trocar carícias compradas – não raramente praticadas com má vontade e falsidade – e ainda assim sair de lá achando que valeu a pena.** Considerará isso bem mais interessante que assistir a um filme erótico, se excitar e se masturbar, sendo o resultado final a deliciosa sensação de relaxamento e sonolência que conhece desde a adolescência – época em que se iniciou nessa prática.

Não posso deixar de considerar a masturbação uma prática mais interessante e gratificante do que o sexo com uma prostituta ou aquele que uma mulher pratica com um homem estabanado que mal sabe do que ela realmente necessita para ter um orgasmo – não representando, ainda por cima, para elas o relaxamento que observam nos homens. **No mundo virtual não existem os toques, que têm de ser praticados individualmente como na masturbação. Afora isso, todo o resto pode existir até mesmo com maior liberdade e intimidade. As pessoas têm menos vergonha de se expor, podendo**

frequentar "ambientes" que não ousariam visitar na realidade, de modo que talvez alarguem as fronteiras do que lhes pareça permitido e aceitável nesse mundo das fantasias sexuais que não deveriam mesmo ser regulamentadas.

Não tenho muitas dúvidas de que a realidade virtual competirá para valer com o sexo casual e com as casas de prostituição. Penso que sua importância ainda está sendo subestimada porque parece mais que tudo uma atividade exercida pelos moços adolescentes, precursores desse tipo de preferência. Porém, eles um dia serão os adultos responsáveis, e para eles esse universo de interesses talvez se torne estável. As moças mais tímidas, delicadas e menos bem-sucedidas no jogo erótico das conquistas reais provavelmente aderirão mais depressa a esse tipo de "convivência" do que aquelas que têm se dado bem no convívio real. As pessoas sozinhas e de gosto requintado provavelmente procurarão parceiros por essa via. Haverá muitos enganos, bastante gente mentindo e fazendo propaganda enganosa de si mesma. Porém, isso não é novidade e não é o que falta na vida real.

Cabe voltar ao tema e fazer algumas considerações acerca do que sejam encontros íntimos de caráter temporário e fortuito. Não devem ser confundidos com o sexo casual que descrevi. Trata-se de encontros que acontecem algumas vezes ao longo da vida para quase todas as pessoas. Eles ocorrem em viagens de trabalho, durante as férias e em outras situações em que não estava programado nenhum tipo de acontecimento desse tipo. Duas pessoas começam a conversar, descobrem uma boa quantidade de interesses e gostos comuns, desenvolvem uma convivência íntima em pouco tempo, acham graça um no outro e podem ter um caso de curta duração – até mesmo de um dia. **São encontros ricos, que deixam um resíduo marcante e lembranças gratificantes. Correspondem a situações sobre as quais se sabe de antemão que terão um final próximo, o que talvez até estimule as pessoas a se soltar mais sentimental e sexualmente.** Quando as pessoas têm **maturidade e lucidez para compreender a inviabilidade da continuidade – mesmo que viesse a ser desejada – porque as pessoas têm vidas concretas não compatíveis** (moram em países diferentes, têm outros compromissos previamente constituídos, não são do tipo que pretende constituir elos estáveis e definitivos porque têm profissões que não coadunam com esse objetivo etc.), **talvez ainda assim vivenciem uma intensa dor na hora da separação. Porém, terão força suficiente para superá-la rapidamente e saberão extrair do convívio lições de enorme valia para outras eventuais empreitadas. Não podem e não devem ser confundidos com o sexo casual que tenho descrito. Não são encontros que se podem buscar ativamente; eles acontecem – inclusive na realidade virtual.**

21
vinte e um

Não posso deixar de insistir mais uma vez, agora explicitamente no contexto sexual, na necessidade de abandonarmos uma forma de pensar elitista e aristocrática e buscarmos soluções mais democráticas para as grandes questões da subjetividade. Isso é absolutamente essencial se quisermos constituir uma sociedade de seres livres e com razoável autoestima. Quando privilegiamos propriedades inacessíveis à grande maioria da população, produzimos um estado de alma coletivo voltado para a infelicidade, para uma avaliação negativa de si mesmo, para a revolta ou a depressão.

A geração de ilusões dessa natureza acontece a todo instante. Quando uma pessoa de origem humilde consegue algum destaque profissional ou financeiro, atribui isso a seu esforço e ao fato de viver numa sociedade em que há certa mobilidade social. Faz afirmações do tipo: "Se eu fui capaz, você também poderá trilhar rota parecida e ter sucesso". É claro que isso não é verdade e apenas serve para alimentar a ilusão da maioria, condenada a permanecer no mesmo patamar em que se encontra. A mobilidade social é relativa e apenas alguns poucos afortunados conseguem ultrapassar determinadas limitações. Agem da mesma forma que os ganhadores de grandes prêmios das loterias: são o exemplo vivo daquilo que provavelmente não acontecerá à grande maioria dos que fazem apostas. O ato de viver se alimentando de ilusões pode trazer algum alento. Porém, é se fiar em bolhas de sabão. É muito bom para quem gosta mais de fantasiar e imaginar do que de viver. Do ponto de vista do que é supérfluo, talvez não faça tanto mal. Porém, abastecer-se de ilusões em vez de ter acesso aos recursos essenciais disponíveis para os cuidados com a saúde, com a higiene pessoal e com a alimentação, por exemplo, é muito grave. Mais grave ainda é desqualificar o que a grande maioria das pessoas pode ter e só valorizar aquilo que existe em pouca quantidade e, forçosamente, será distribuído de forma desigual.

No que diz respeito à questão sexual, estamos diante de situações muito similares. Podemos valorizar a beleza física e a exuberância sensual – características raras que privilegiam talvez menos de 3% da população – ou a disponibilidade para a troca de carícias – em condições favoráveis, quais sejam, num contexto de companheirismo e confiança – e a competência para se deixar envolver completamente pelas sensações eróticas. **Podemos valorizar pessoas que sofisticaram seus dotes de sedução (homens competentes nas mentiras e no assédio insistente, assim como mulheres hábeis em se exibir, provocar e depois se esquivar) ou aquelas mais espontâneas, que se mostram de forma natu-**

ral e, em uma balada, dançam como que desatentas aos olhos dos observadores.

Podemos valorizar os homens que aprenderam a se dedicar sexualmente a uma parceira sentimental – e se contentam em estar apenas com ela – ou aqueles que sempre se vangloriam de novas conquistas, de ter sempre lindas mulheres com as quais parecem manter uma intimidade precária. Podemos valorizar as mulheres que estão mais que felizes em ter um parceiro sexual estável que preenche suas expectativas sentimentais – ao qual elas se entregam com prazer, dispensando a tradicional estratégia de regular a frequência e a intensidade das relações de acordo com outros interesses –, ou aquelas interessadas em novas aquisições materiais, por meio das quais pretendem se fazer atraentes ao maior número possível de observadores.

Nossa sociedade valoriza a beleza, a magreza, a sensualidade exuberante, a competência para o acesso a múltiplos parceiros, a capacidade das mulheres de atraírem para si os homens mais valorizados – os ricos e famosos, nem sempre os de melhor caráter –, e não se interessa pelo que acontece efetivamente com as pessoas entre as quatro paredes de um quarto. Ou seja, somos induzidos a nos impressionar apenas com a aparência das circunstâncias e não com os fatos. Pouco importa que as lindas mulheres que desfilam no carnaval não sejam criaturas que se soltam e se deixam embalar pelos estímulos eróticos na hora da efetiva troca de carícias. Elas se dedicam ao que parece ser o que mais interessa: provocar o desejo. Aproveitar as delícias da excitação sexual está em segundo plano. **Por vezes, tenho a impressão de que a palavra "desejo" vem ocupando um espaço que não lhe pertence. Parece ser algo que nos define mais do que termos um cérebro capaz de produzir pensamentos e reflexões complexas, algumas delas voltadas para as ponderações relacionadas com os direitos das outras criaturas. Toda nossa sofisticação se desfaz diante do reinado do "desejo". Somos induzidos a pensar que nos dividimos entre aqueles que apenas desejam e aqueles que somente são desejados.** O desejado é o privilegiado; o que deseja sem ser correspondido é o mal afortunado, aquele que terá de encontrar meios de melhorar sua condição caso tenha interesse em ser aceito por quem deseja. Mulheres altamente desejadas e homens competentes para ser recebidos por elas – os mais ricos, famosos e capazes de mentir e iludir – são os heróis desse período do reinado do "desejo".

Só se pensa no desejo, e tenho a impressão de que não é do interesse nem mesmo dos que estudam a alma humana cogitar sua resolução. **Ao que parece, o legal é viver desejando o tempo todo: desejando bens materiais que nos façam mais atraentes e facilitem o acesso ao maior número possível de parceiros, desejando ser desejados por criaturas que a todos interessam, desejando alcançar posições sociais e profissionais que abram portas para uma vida na qual possamos en-**

contrar novos "amores" mais interessantes, e assim por diante. Fico pensando como é que pensadores feito os estoicos romanos (Epíteto e Sêneca, entre outros) – que também viveram em épocas nas quais os costumes eram bastante extravagantes – olhariam para esse mundo. Sim, porque para eles o rico não é aquele que tem tudo, mas o que não deseja nada.

Sem caminhar numa direção extremada, penso que o real papel do sexo – além da questão reprodutiva, é claro – reside na possibilidade de termos uma fonte natural e simples de estímulos prazerosos cuja continuidade pode desembocar, mais nos homens do que nas mulheres, em um estado agradável de relaxamento relacionado com o fim da excitação. É essencial mudarmos o foco das reflexões do desejo para a excitação, subtraindo a importância que se tem atribuído ao primeiro. Desejo implica sempre algo ou alguém que é desejado: e o que ou quem for desejado estará, de alguma forma, em uma condição privilegiada, de superioridade.

Desejo subentende hierarquia e quase sempre está comprometido com o que é aristocrático. Desejo objetos cujo acesso depende de eu ter meios materiais para adquiri-los. Desejo me aproximar de determinadas mulheres e preciso estar de acordo com seus critérios de valor para ser aceito. Desejo certas posições sociais e dependo da aprovação de outras pessoas para conseguir obtê-la, e assim por diante. O mais importante é sempre registrar que os bens materiais mais cobiçados, as mu-

Flávio Gikovate

lheres mais atraentes e as posições sociais de destaque são em número limitado e de acesso restrito aos poucos privilegiados que, por mérito ou esperteza, conseguirem chegar perto deles.

O desejo é composto de excitação, mas contém um importante ingrediente de risco: o desafio de ser bem ou mal-sucedido em sua realização, sendo óbvio que o fracasso implica sofrimento, ao passo que o sucesso pode reforçar a intensidade da excitação. O desejo é parte de um jogo. A excitação é fenômeno bastante mais simples, sem vencedores nem perdedores. Na masturbação, por exemplo, somos todos vencedores! Tudo acontece de acordo com nossas fantasias e não existem disputas ou rejeições. O grande prazer, nem sempre buscado por falta de coragem ou informação, é o de ser capaz de se entregar aos estímulos eróticos sem controle racional, algo parecido com o que acontece quando ingerimos uma quantidade exagerada de álcool e perdemos o domínio sobre nossos pensamentos e ações. É praticamente impossível conseguir abrir mão de todos os controles diante da presença de outra pessoa, especialmente se estivermos trocando carícias eróticas com um parceiro que mal conhecemos e em quem não confiamos – ou a quem queremos impressionar.

Reafirmo que seria muito interessante nos entregarmos aos deleites da excitação sexual tanto por meio da masturbação estimulada por fantasias eróticas como pela troca de carícias com um parceiro estável e confiável. Nesses contextos, criam-se as condições favorá-

veis para que possamos aprender a nos soltar e a levar a excitação quase ao limite do descontrole (o que talvez seja um tanto assustador no início, mas, de fato, não contém riscos de espécie alguma); talvez isso seja o que o sexo tem de melhor a nos oferecer. Trata-se de uma enorme fonte de prazeres, similar ao que acontece com as crianças pequenas – especialmente as meninas – que sentem grande satisfação em tocar suas zonas erógenas com o intuito simples e imediato de se deleitar com as adoráveis sensações de excitação. Por que complicar tudo com o ato de desejar o que é quase impossível e viver os tormentos da frustração e da baixa autoestima?

Por que abrir mão de um prazer acessível a todos nós – que tem, pois, um caráter altamente democrático – para nos dedicarmos a práticas com enorme chance de fracasso? Que sociedade é essa que nos propõe como mais valioso justamente aquilo que não seremos capazes de conseguir? Por que precisamos acatar tal tipo de arbitrariedade? Por que buscar um parceiro sexual ou sentimental que seja altamente valorizado por propriedades duvidosas e superficiais, tais como a beleza e o sucesso, quando deveríamos ir atrás daqueles que tivessem as virtudes de caráter e a delicadeza de sentimentos que nos ajudariam a viver mais felizes? É sempre bom lembrar que virtudes de caráter são propriedades democráticas, apesar de não estarem tão bem distribuídas quanto poderiam. Aqueles que não as têm cultivado poderão fazê-lo sem prejuízo dos que já as possuem; sempre cabe mais gente no rol das pessoas de bem.

Flávio Gikovate

O fato de as pessoas de caráter duvidoso serem as mais atraentes do ponto de vista sexual corre justamente por conta do desejo e não da excitação: tais pessoas despertam a dúvida, são um constante desafio, mexem com nossa vaidade e autoestima, pois não sabemos muito bem quais serão seus próximos passos. Deixam-nos em sobreaviso permanente. É da nossa tradição cultural considerar que os desafios renovam o desejo, o que não deixa de ser verdade. A esposa que nem sempre está disponível para o sexo costuma despertar com mais frequência o desejo do marido do que aquela que está sempre a postos. O mesmo vale para o inverso: a mulher costuma se sentir mais interessada no sexo quando o marido é um tanto indolente quanto ao assunto. Ela é movida pelo desafio, pelo orgulho ferido, pela vontade de derrubar aquele obstáculo.

A tradição também diz que o desejo dos casais que vivem juntos por longo período diminui e que sua vida sexual vai se tornando medíocre e cada vez mais pobre. Talvez isso seja verdade se olharmos do ponto de vista do desejo, que pede novidades e desafios. Se pensarmos do ponto de vista da excitação – e principalmente se considerarmos que sua fonte maior deriva de estímulos tácteis e não visuais –, chegaremos a conclusões bem diferentes das que nos são propostas pela cultura do desejo. A realidade é que a troca de carícias entre pessoas que se sentem confortáveis na companhia dos parceiros determina a mesma excitação dos primeiros tempos. Se a excitação pode ser

Flávio Gikovate

produzida individualmente, pela automanipulação, e ser fonte de prazer ao longo de toda a vida, por que o mesmo não poderia acontecer entre duas pessoas que se deleitam com a companhia uma da outra?

O desejo visual não pode deixar de diminuir com o passar dos anos. Primeiro, porque se abastece, como todo desejo, de desafios e novidades. Segundo, porque a idade não torna os corpos mais sedutores. Aliás, nesse mundo governado pelo desejo, envelhecer se tornou um enorme pesadelo, em especial para as mulheres – principalmente aquelas que, quando jovens, foram prestigiadas por sua beleza e sensualidade. É claro que as que mais se dedicaram a cultivar esse tipo de virtude serão também as que mais buscarão perpetuar a boa aparência por meio dos recursos da medicina estética. Não tenho dúvidas de que tudo isso conduz a estados de inevitável frustração, uma vez que as mais brilhantes intervenções cirúrgicas não serão capazes de desfazer completamente aquilo que é determinado pelo passar das décadas.

O próprio acesso aos recursos médicos capazes de minimizar o peso dos anos é de natureza aristocrática. A grande maioria da população jamais terá os meios necessários para se dedicar a esses esforços – nem sempre tão bem-sucedidos – ao longo dos anos. **Reafirmo minha antipatia por todas as providências aristocráticas relacionadas com o reaquecimento do desejo, cujos compromissos com o que há de pior em nós e na nossa sociedade me parecem bastante evidentes.**

Compreendo que se pense no desejo e na vaidade como ingredientes eróticos que muito contribuíram para a construção das obras que nos caracterizam, tais como as grandes descobertas e as transformações que fizemos em nosso hábitat primitivo e inóspito graças ao anseio de destaque e de favorecimentos eróticos e materiais de todo tipo. Sei também que muitos dos bens produzidos depois delas acabaram por beneficiar uma grande parcela da população. Penso nas descobertas feitas por epidemiologistas acerca do ciclo vital de certos microrganismos que tanto prejudicaram a qualidade de vida de nossos ancestrais e considero as vantagens que a ambição e a determinação de algumas pessoas causaram para o bem de todos nós. Talvez sem os estímulos eróticos tivéssemos andado mais devagar. Porém, será que não teríamos chegado perto de onde estamos apenas em virtude da inquietação intelectual que atormenta muitos dos espíritos mais elevados? Esses dotes excepcionais também são propriedades aristocráticas e raras; não deveriam estar a serviço de todos?

Penso nas grandes obras, como as pirâmides do Egito ou o Coliseu de Roma. Quantas delas despertam nossa admiração? Porém, quantos milhares de trabalhadores morreram durante sua construção? Não creio que o caminho de reforçar a vaidade e os desejos aristocráticos seja o único. Talvez, por ser o mais forte, tenha vencido e prevalecido sobre as demais possibilidades. Creio que é mais que urgente revermos essa rota que agora está levando à destruição total do planeta em uma velocidade assombrosa. **É hora de pensarmos em subtrair esse ingrediente erótico das forças que regem nossa vida social e trazer de volta o erotismo para o seu verdadeiro lugar, democrático e inofensivo: o das excitações gratificantes que podemos obter tanto na privacidade como no convívio corporal com parceiros com os quais não estamos disputando nada e com quem queremos apenas trocar agrados e deleites.**

22 vinte e dois

Cabem algumas considerações sobre a delicada questão de como proceder para trazer o sexo para o domínio das relações amorosas de boa qualidade. Quem acompanha meus trabalhos sabe que não estou me referindo à grande maioria dos relacionamentos conjugais. Nestes, o ingrediente agressivo derivado da inveja recíproca – subproduto quase inevitável da existência de grandes diferenças de temperamento e caráter, ou das irritações que elas provocam – determina importante força de repulsão e iminência de ruptura do elo. Não sendo essa a vontade que predomina, o impulso sexual se une às forças que estabelecem a reaproximação física e sentimental, o que acaba por determinar um reforço positivo na direção da renovação do desejo. O homem deseja e a mulher, desejosa de ser desejada, se excita ao se perceber nesse papel, condição na qual se dispõe à intimidade sexual. Por um tempo longo esse tipo de dinâmica pode ser eficiente e funcionar inclusive como reforço do elo sentimental que, por si, tem caráter precário.

É claro que quando a personalidade egoísta e exigente é a feminina a situação pode ter características um tanto distintas, posto que tais criaturas sentem enorme necessidade de provocar o desejo e frustrar o parceiro em seus anseios. Aí, tudo vai depender da postura do marido generoso e tolerante. Se for excessivamente condescendente, acabará aceitando com indevida docilidade as restrições impostas pela esposa, o que reforçará a conduta dela. Se der sinais de que não vai tolerar esse tipo de manipulação e poderá buscar soluções unilaterais para sua satisfação sexual, certamente ajudará a companheira a se desfazer desse tipo de ardil da qual ela também é vítima. **Repito mais uma vez: a tolerância excessiva e indevida não é virtude, uma vez que reforça a pior parte da alma das pessoas com as quais convivemos.**

Quando é a esposa que tem o temperamento mais generoso, torna-se uma parceira bastante disponível para o sexo e, por amar o parceiro que nem sempre faz por merecer seus sentimentos – e também por se ver constantemente ameaçada por sua infidelidade –, raramente se recusa; sente prazer em se dar e se dedicar em todas as áreas, inclusive nessa. Homens mais egoístas costumam ser bons parceiros sexuais, sempre preocupados em impressionar e agradar – mais que tudo por vaidade – suas companhias. Quase nunca se sentem desmotivados diante de uma mulher disponível. Porém, isso por vezes acontece, especialmente nos casos em que não são dotados de impulsos eróticos e se comprazem com o fato de se sentir atraentes para suas parceiras. Nesses raros casos, a esposa disponível se queixa da pouca disposição do parceiro. Tenta ir atrás dele para atiçá-lo, o que acaba determinando resultados nefastos. Sim, porque o homem se sente pressionado e nada é pior para seu desempenho erótico do que isso.

Falando do que é relevante aqui, ou seja, das dificuldades de acoplar o sexo aos encontros sentimentais de qualidade, talvez o primeiro ponto a ser ressaltado seja o que diz respeito à ternura. Trata-se de manifestações físicas de carinho em tudo similar aos toques que correspondem à excitação sexual de caráter táctil; porém, do ponto de vista psíquico e simbólico, a ternura tem conotação totalmente diferente. **Sabemos que o amor, em sua versão adulta, guarda importantes similaridades com o que acontece entre cada um de nós e nossa mãe ao longo dos primeiros meses e anos de vida. A ternura lembra mais o toque materno do que aquele de natureza erótica. Embora deliciosos, são agrados que carecem completamente de apelo sensual. São manifestações físicas que provocam em nós sensações de calma, paz e aconchego. Nada parecido com a excitação, essa sempre similar ao que sentimos pela primeira vez ao tocarmos nossas zonas erógenas.**

Assim, não só as palavras românticas trocadas entre os que se amam na fase adulta ("amorzinho", "fofinho" e outras que usamos também para os bebês) mas também os carinhos praticados nesse contexto dão sinais de estarmos diante de uma situação totalmente assexuada. Acontece que não fomos alertados e muito menos preparados para isso, de modo que a surpresa pode ser grande: um homem apaixonado imagina encontrar em sua amada uma parceira sexual capaz de provocar sensações que jamais vivenciou. Afinal, dentro do contexto cultural em que vivemos, a ideia dominante é a de que amor e sexo caminham juntos e são parte do mesmo impulso instintivo. **Se o amor é assim intenso, podemos esperar o mesmo do sexo. Qual o quê! A regra é que o amante apaixonado se sinta totalmente inibido do ponto de vista sexual.** Os poetas românticos provavelmente aprenderam isso na prática e acabaram por descrever o amor intenso como portador de natureza "platônica" (assexuada).

Na prática, isso significa que a mulher amada é altamente idealizada, colocada em um pedestal quase inatingível, sendo fato que para os homens isso se transforma num obstáculo sexual intransponível, uma vez que eles se sentirão menores e por baixo. **A idealização presta esse grave desserviço, qual seja, o de aumentar as supostas virtudes do amado de tal forma que nos sentimos pequenos diante dele. Se para a mulher isso não implica dificuldades na área sexual – até pelo contrário –, do ponto de vista masculino parece se tornar algo insuportável, inclusive grande ferida no orgulho, gerando inseguranças e medos que impedem a ereção** – e quando ela consegue se manifestar pode inibir a ejaculação.

Mesmo depois de superada essa fase inicial de idealizações um tanto indevidas, quando cada um já pode ver com mais clareza as qualidades e os defeitos do parceiro, as dificuldades para o pleno exercício da sexualidade podem persistir. É claro que a situação se torna bem mais confortável, pois desaparecem algumas das inibições ligadas ao forte anseio de querer impressionar o amado, de estar sempre à altura dele, e também diminui o medo de decepcioná-lo por força de qualquer ação inadequada. **Nesse ponto, os amantes passam a vivenciar uma situação mais tranquila, na qual talvez se sintam até mesmo em condições de conversar mais claramente sobre o que está lhes sucedendo do ponto de vista sexual. É claro que, especialmente no caso de casais mais jovens, não tem o menor sentido qualquer tipo de acomodação diante da dificuldade sexual que se manifesta nesse contexto. Obstáculos foram feitos para ser estudados, avaliados, enfrentados e transpostos. O que parece intransponível em determinado momento poderá deixar de sê-lo algum tempo depois.**

A primeira peculiaridade a ser considerada é a de que temos sido vítimas de uma informação incorreta: a de que amor e sexo fazem parte do mesmo impulso e de que um reforça o outro. **A exaustiva e repetitiva descrição de nossas peculiaridades infantis já deixou clara minha convicção de que existem mesmo algumas incompatibilidades e dificuldades a serem superadas para que possamos acoplar esses dois impulsos, um de natureza integrativa (o amor) e outro de caráter individual (o sexo).** No amor, especialmente em sua fase inicial, existe forte tendência ao predomínio dos anseios de fusão. Falando sobre o assunto em um dos seus diálogos acerca do amor, Platão diz que "não se pode desejar o que se possui". Esse seria o caso, ao menos num primeiro momento, da fusão romântica: não há dúvidas de que um e outro se pertencem, de que foram feitos um para o outro, de que um é a continuação do outro. Como desejar uma parte de nós mesmos? Difícil.

O segundo aspecto a ser analisado é a necessária distinção, cada vez mais fundamental do meu ponto de vista, entre desejo e excitação. O desejo depende, sem dúvida alguma, de exterioridade, de que o amado seja percebido como um ser autônomo e independente, como um verdadeiro "outro". Desejo implica sujeito e objeto: o que deseja e o que é desejado; ou seja, implica duas criaturas e não um amálgama de duas metades que se tornaram uma unidade. Tem que ver com a ação de se aproximar de outro que nos é exterior e com a disposição desse outro de nos receber. Ganha conotações interpessoais quando acoplado à agressividade (sua aliança mais natural e, de certa forma, biológica) ou, ao menos em teoria, ao amor. Voltarei a esse tema logo mais.

A questão anterior relaciona-se com a excitação que corresponde, como sabemos, a um fenômeno mais claro e definitivamente pessoal. Depende da ação de se tocar ou de trocar carícias, tendo, pois, um aspecto táctil fundamental. A excitação, quando produzida individualmente, costuma vir acompanhada de fantasias eróticas da mais variada natureza, quando não reforçada pelas "interações" virtuais cada vez mais frequentes e também praticadas por um crescente número de mulheres.

Quando estamos diante da troca de carícias, é claro que o aspecto das fantasias pode ser substituído pelos estímulos visuais que derivam de observarmos as reações de nossas ações sobre o parceiro: perceber que somos capazes de provocar sua excitação por meio dos beijos calorosos, da estimulação de suas zonas erógenas, determina uma reação bem intensa, em termos de estímulo erótico, para quem está produzindo a estimulação.

A troca de carícias pode ser simultânea – o que, como já afirmei, costuma diminuir a intensidade das sensações por força da concomitância de mais de um estímulo – ou intermitente. Os beijos na boca acontecem, é claro, simultaneamente. Porém, em seguida podem ocorrer estimulações orais ou manuais do homem direcionadas para a mulher e depois a recíproca. **Penso que não será necessária tanta imaginação para sair do clima de ternura para o da excitação. Basta que saibamos que essa transição terá de acontecer, que não se trata de um fenômeno espontâneo que forçosa e naturalmente vai se processar. Não é raro que o beijo mais caloroso seja o veículo, aquele que intermedeia essa transição.**

Uma vez estabelecida a transição, e estando o casal no terreno da excitação erótica, talvez seja interessante a atenção constante para que não se volte ao clima de ternura, sempre negativo e capaz de neutralizar os efeitos sexuais da troca de carícias. Isso, é claro, até que se chegue ao clímax, quando a recuperação do clima de ternura vem a calhar e se manifesta com intensidade ainda maior. Sim, porque o auge da excitação corresponde a um momento de radical solidão, quando estamos totalmente entretidos com nossas sensações, fechamos os olhos e não estamos mais diante de nada nem de ninguém. O amado reaparece depois disso, e reencontrá-lo tem um sabor e determina um prazer que só pode ser vivenciado quando o sexo é praticado no contexto sentimental.

Espero ter sido claro em afirmar que, da forma como acabo de descrever, a sexualidade é totalmente independente da existência do desejo. O casal se aproxima e decide trocar carícias eróticas. O desejo não é absolutamente necessário. A experiência ensina também que boa parte dos casais que se amam negligencia as práticas eróticas desencadeadas pela excitação justamente por força da inexistência do desejo. Dizem, por vezes, que se esquecem de se aproximar sexualmente. Talvez o desejo os ajudasse a se lembrar do sexo, mas temos outros meios para dar início à excitante troca de carícias. O interessante é que esses casais que dizem ter uma vida erótica pouco frequente jamais se queixam da qualidade do que acontece quando decidem ficar juntos para esse fim. Curioso esse aspecto, no qual a fartura e a boa qualidade parecem diminuir o interesse! Ou será porque a cota de felicidade já está preenchida por outros prazeres e alegrias? Não custa insistir nos benefícios – até mesmo para a saúde – de uma vida sexual mais rica e gratificante. Ou seja, não é tão bem-vinda a postura de certa negligência que os casais felizes mantêm diante da questão sexual.

Se a troca de carícias capaz de determinar a excitação sexual tem de ser desencadeada por uma ação racional, para que o desejo surja são necessários outros requisitos. Continuo me referindo, é claro, ao caso dos casais que efetivamente se amam. Talvez o mais importante seja criar o contexto de exterioridade, no qual, por exemplo, a mulher amada deixe de ser aquela criatura que nos "pertence" e nos encanta e possa se transformar, por alguns minutos ou horas, em uma mulher qualquer. **Como se processa essa "mágica"? A grande maioria dos casais se vale de alguns recursos práticos. Um deles corresponde ao uso, por parte das mulheres, de roupas íntimas de caráter vulgar.** É claro que elas teriam de "encarnar" o personagem e se comportar de uma forma talvez mais extravagante e grosseira do que o normal.

Muitas vezes o casal procura locais que não sejam a própria casa, onde com frequência dormem os filhos no quarto ao lado. Nos motéis, com roupas exóticas, homens usando palavras de baixo calão para se referir às propriedades de sua parceira, com filmes eróticos passando na TV, é claro que se cria um clima de exterioridade, grosseria e vulgaridade que tão bem faz ao desejo e definitivamente não tem nada que ver com o contexto sentimental que governa a vida deles no cotidiano.

O desejo, ao menos o masculino, dificilmente se constrói por meio do seu acoplamento ao amor. O que acaba acontecendo é o momentâneo esvaziamento do

Flávio Gikovate

conteúdo romântico da relação e sua substituição pelo da vulgaridade e baixaria tão ao gosto do erotismo próprio de nossa espécie e da nossa cultura. **Talvez as mulheres tivessem mais facilidade de se encontrar sexualmente num contexto romântico, mas penso que voltar a se sentir desejadas por seus atributos físicos também corresponde ao reencontro com um tipo de prazer bastante gratificante.** Para mim esses momentos são muito ricos e interessantes. São momentos em que o amor fica em suspenso para que manifestações mais próprias da nossa condição mamífera se revelem. Porém, não posso deixar de considerar o amor e suas peculiaridades como as propriedades que poderão trazer desdobramentos mais ricos e interessantes tanto para a felicidade pessoal como para o bem-estar da vida em sociedade.

O erótico, especialmente no terreno do desejo, parece mesmo ter relação com nossas vivências ancestrais, anteriores à civilização. É interessante compreender isso e dar algum espaço para sua expressão. Por outro lado, não faz o menor sentido pensar que se trata de uma manifestação requintada da nossa espécie e muito menos imaginar que a liberação desses impulsos governados pelo desejo nos levará a algum lugar bem diferente daquele que temos vivido: uma versão um pouco mais sutil e sofisticada do que acontecia na selva primitiva.

23
vinte e três

As considerações anteriores nos conduzem naturalmente para o epílogo e para as ponderações finais. Tentarei responder a duas das questões centrais sobre nossa sexualidade: de um lado, qual seu papel efetivo em nossa subjetividade, qual o peso e a importância do sexo em comparação com o amor?; de outro, o que é uma pessoa realmente livre do ponto de vista sexual?

A experiência libertária dos anos 1960 estava fundamentada na tese de que, se fôssemos capazes de desfazer os esquemas repressivos que a sociedade sempre impôs ao sexo, as pessoas, especialmente as mais jovens, ficariam mais desarmadas, menos competitivas, mais cooperativas e voltadas para um estilo de vida criativo. Essa ideia ilusória derivava do grave equívoco de considerar o sexo e o amor partes do mesmo processo instintivo relacionado com tudo que é vital. **Na realidade, como repeti inúmeras vezes, a libertação sexual correspondeu ao livre exibicionismo feminino, o que atiçou mais que nunca a competição entre os homens e a rivalidade entre as mulheres. Os jovens que pretendiam a "paz e o amor" foram à guerra e se armaram até os dentes com o intuito de se adequar a um mundo cada vez mais competitivo e excludente.**

Flávio Gikovate

Os avanços tecnológicos contribuíram para o acirramento das tensões entre as pessoas, pois o desejo de posse desses novos bens, especialmente aqueles relacionados com o mundo da eletrônica e do universo virtual, assim como os anseios de destaque de caráter aristocrático – cujo objetivo é, entre outros, o de abrir as portas para o sucesso com o sexo oposto –, vem tornando cada vez mais raras as relações de amizade. Assim, os relacionamentos amorosos, conjugais e familiares estão cada vez mais fluidos e precários.

A rápida ascensão das mulheres no mercado de trabalho, produto do seu empenho nas atividades acadêmicas, também é fator novo e desequilibra as relações interpessoais em geral. Os homens estão fragilizados, e os mais jovens se envolvem cada vez mais no mundo virtual, no qual o sucesso com o gênero oposto não depende de conquistas de qualquer espécie. Estão cada dia mais indolentes, enquanto as moças, mais cientes de que terão de prover seu sustento, mostram-se ativas e atuantes. Ainda não sabemos para onde isso vai nos conduzir.

Um fato digno de registro mais uma vez é que nem mesmo a qualidade das relações sexuais tem avançado. Até hoje os homens parecem desconhecer que o prazer maior das mulheres é de natureza clitoridiana. Como muitas das relações sexuais acontecem num clima em que a intimidade mal se iniciou – se é que terá continuidade –, a maior parte das mulheres não se sente confortável para explicar ao parceiro seus gostos e

preferências. Os homens continuam insistindo em extrair algum prazer orgástico vaginal de mulheres que eles mal conhecem. Não que não exista satisfação feminina relevante na penetração, mas ela tem caráter simbólico e depende de intimidade, confiança e genuína satisfação de estar se entregando àquele homem. E isso só acontece depois de semanas de convívio.

A ênfase no erotismo e na ideia de que o importante é ter várias experiências com diferentes parceiros tem paralelo com a extrema preocupação com a aparência física, tanto no aspecto do corpo propriamente dito como do consumismo em geral. Sabemos que os encontros amorosos de qualidade, aqueles que se estabelecem entre pessoas cujas afinidades predominam sobre as diferenças (especialmente no que diz respeito ao caráter), esbarram com inúmeros obstáculos intrapsíquicos: o medo de perder a individualidade; o medo de enfrentar a dor de uma ruptura dolorosa; o medo que temos da felicidade, como se ela fosse capaz de atrair desgraças e sofrimentos imensos. A esses problemas se agrega, com vigor crescente, a questão de que o desejo sexual se direciona com muito mais facilidade às pessoas menos confiáveis e de caráter duvidoso.

Ao levarmos em conta o aspecto sexual, especialmente sua vertente relacionada com o desejo – ou seja, com o impulso de tentar se achegar a alguém para estabelecer algum tipo de intimidade sexual –, o fascínio pelo outro se voltará para as pessoas mais cobiçadas, que tentaremos conquistar como uma espécie de vitória sobre outros concorrentes. Além disso, como tam-

Flávio Gikovate

bém registrei e quero enfatizar, o ato de desejar implica hierarquia, de modo que o desejado está de posse de um poder que só será desmontado quando ele for conquistado. Não é raro que a isso se siga uma série de retaliações por parte do conquistador – aquele que inicialmente era o que desejava e se sentia por baixo e depois se encontra por cima. O clima é de guerra entre os sexos (ou entre duas pessoas do mesmo sexo), não de paz. E muito menos de amor.

Nas relações amorosas de qualidade, em que as pessoas estão prontas – ou seja, com menos medo de estabelecer elos intensos e compromissos –, o encantamento deriva justamente da descoberta das grandes afinidades. Quanto mais as pessoas conversam, mais se encantam. O elemento erótico fica em segundo plano e a intimidade se constitui seguindo o mesmo trajeto do que observamos nas amizades. **Os parceiros de um relacionamento amoroso desse tipo são também os melhores amigos. Sabemos que o desejo não acompanha esse tipo de empreitada, uma vez que não existem desafios nem conquistas a serem perpetrados. As pessoas se deleitam com a intimidade e não oferecem resistência. O clima de ternura, similar ao do amor infantil, toma conta do casal – o que pode perturbar, ao menos no início, até mesmo a possibilidade de troca de carícias que gerariam a excitação sexual. Esta não depende do desejo, presente apenas no contexto dos desafios. Porém, necessita que o clima de ternura seja desfeito, o que, com o devido entendimento dos processos** que envolvem o encantamento amoroso, se consegue com relativa facilidade.

Fica claro que o sexo pode ter mais de um papel na vida. Se nossa disposição for de caráter competitivo e de disputas, viveremos no reinado do desejo. Buscaremos parceiros difíceis de ser conquistados e nos deleitaremos com as glórias nessa área e também em todas as outras relacionadas direta ou indiretamente com ela – ou seja, quase tudo que governa nossas vivências sociais de caráter aristocrático. Caso sejamos bem-sucedidos, talvez nos deleitemos com nossas conquistas, ou nos sintamos bem até mesmo ao provocar a inveja dos concorrentes, ou, ainda, sejamos festejados e tratados como os vencedores do jogo da vida. E seremos mesmo. Vencedores do jogo da vida segundo o código em vigor, o que não quer dizer que seja esse o único modo de viver nem mesmo que isso tenha qualquer relação com o que poderíamos chamar de felicidade.

Não estou certo de que a vida precise ser entendida como um jogo. Sei muito bem que é nesse contexto que se consegue extrair a máxima produtividade das pessoas, condição para que uma sociedade seja bem--sucedida a ponto de superar suas concorrentes. Entendo também, como já escrevi, que, especialmente no passado, aqueles grupamentos menos competentes para empreender e se fortalecer foram dizimados pelos mais fortes. **Sei que o capitalismo competitivo é mais produtivo do que uma sociedade baseada na cooperação e em partição**

mais ou menos igualitária dos benefícios daquilo que se consegue gerar. Mas sei também que se não dermos uma guinada no nosso modo de viver, tanto no plano individual como no coletivo, estaremos nos dirigindo inexoravelmente para o abismo da baixa autoestima e da depressão da maior parte da população, assim como para o desequilíbrio irreversível do planeta.

Não será hora de revermos nosso jeito de pensar a sexualidade e tratarmos de considerá-la de outra forma? Ou seja, de acabarmos com o reinado do desejo e pensarmos mais na excitação? Isso, na prática, tem vários desdobramentos. O primeiro e mais importante deles é que essa forma de entender o sexo diz respeito mais que tudo à extração de prazeres sensoriais intensos e gratificantes que esse impulso pode nos provocar desde o segundo ano de vida. Abandonamos o universo do sexo como disputa e conquista para fazer dele um meio de curtição e prazer, algo que nos deleita e pode ser feito – ao menos individualmente – a qualquer momento e independentemente de qualquer tipo de empenho excepcional. A excitação é democrática, prazer disponível e acessível a todos. Já o desejo é aristocrático, pois só deleita os vencedores – e humilha a grande maioria. A pesquisa e descoberta de todos os meandros e nuanças do erotismo que pode ser desencadeado no corpo agrega uma cota de satisfação enorme à vida.

Que dizer então de estabelecermos um elo afetivo de qualidade com um parceiro afim e, com ele, nos deleitarmos com a troca de carícias eróticas que provocarão a excitação táctil direta e aquela deliciosa sensação de causarmos sensações de forte prazer na pessoa amada? Com ela teremos intimidade para compartilhar fantasias eróticas de qualquer tipo e nos sentiremos à vontade para apontar as regiões do nosso corpo que mais despertam a excitação. Com ela poderemos "viajar" nas delícias de um erotismo intenso – que, depois de certa intensidade, tem um caráter solitário, já que as sensações nos absorverão por completo – para depois nos voltarmos para aquela pessoa tão especial, condição que provocará o adorável prazer com sabor de reencontro.

No contexto do amor e da excitação, o sexo desempenha um papel secundário. No domínio do desejo, ele é protagonista. Cabe a cada um decidir como se posicionar. Não tenho dúvida de que a vivência amorosa na qual a sexualidade atua como coadjuvante corresponde a uma forma de vida mais harmônica, gratificante e essencialmente democrática. Acho também que é por essa via que se pode pensar em uma ordem social menos competitiva, condição de sobrevivência da nossa espécie ameaçada pela própria ganância.

Sei que essas considerações podem parecer um tanto conservadoras, já que guardam similitudes com ponderações religiosas tradicionais. O amor como elemento de salvação é parte de diversos discursos dessa ordem. Do meu ponto de vista, não me aborreço com isso. Ao contrário, sempre pensei que aqueles que nos antecederam foram capazes de colecionar uma cota importante de sabedoria e

Flávio Gikovate

tiveram mais serenidade e tempo do que nós para refletir profundamente sobre determinadas questões. É claro que minha visão é adequada à nova realidade e meu modo de pensar o amor não é exatamente o mesmo, assim como o elogio da excitação erótica como parte essencial dos deleites e prazeres do casal que se ama não tem muito que ver com a ideia do sexo apenas com finalidade reprodutora.

Não considero livre, do ponto de vista sexual, aquele homem que não se sente com direito de perder nenhuma oportunidade de se aproximar de uma mulher. Esse tipo de pessoa, talvez ainda majoritário em culturas como a latina, não é escravo de seu desejo, mas de suas obrigações como macho. **Sim, porque segue a tradição "homem que é homem não deixa passar uma chance de copular".** A condição é pior do que a da selva primitiva onde o homem "podia" se achegar às mulheres que desejasse; agora ele "tem" de abordá-las. Esse garanhão também não pode falhar, ou seja, precisa ter um desempenho sexual de acordo com o que espera de si mesmo (e também com o padrão vigente). Assim, terá de se manter ereto por determinado número de minutos, terá de ser capaz de copular e, se possível, levar a mulher ao orgasmo (não só por gosto e alimento para sua vaidade, mas também por dever viril), **terá de ejacular com certa intensidade, e assim por diante.**

Reafirmo que o padrão de excelência dos dias de hoje é extraído dos filmes pornográficos, de modo que são muitos os homens que buscam tratamento (se é que existem e são efetivos) para aumentar as dimensões do pênis e usam drogas para manter mais rígida a ereção apenas com intuito "recreativo", o que em verdade busca tanto impressionar as mulheres como dar a eles a sensação de corresponder ao que é considerado ideal. Nada disso tem relação com a liberdade. Trata-se de uma série de mandamentos que precisam ser obedecidos, como se fosse uma avaliação a que todos se submetem.

Se essas exigências sempre atormentaram a mente masculina, muitas delas passaram a fazer parte da subjetividade feminina. Sim, porque agora as mulheres também precisam ter um desempenho semelhante ao das atrizes pornográficas: emitir sons ruidosos que denotariam prazer com a insistente penetração vaginal, assim como nas relações anais (que, até há pouco tempo, eram abominadas); praticar o sexo oral com vigor e profundidade; gostar que o homem ejacule em sua boca e outras práticas que não constavam do cardápio feminino. Antes elas estavam dispensadas de qualquer tipo de exigência, pois a mulher valorizada era a casta, aquela que pouco interesse tinha pelo sexo, mas não se recusava aos "deveres conjugais". As exigências agora as alcançaram com todo vigor, de modo que também não são mais livres para se expressar da forma como efetivamente sentem.
Elas também têm de ser boas de cama!

O clima não é de libertação, e sim de crescentes exigências para homens e mulheres. Eles precisam estar sempre alertas e disponíveis. Elas devem ter orgasmos múltiplos, especialmente durante a penetração vaginal.

As que não têm fingem. Os que não conseguem estar dispostos se valem de medicamentos, mesmo quando jovens. Não é possível cogitar que, num contexto desse tipo, nos consideremos mais livres sexualmente do que nossos pais (sendo as mulheres muito menos livres do que suas mães).

Penso na direção oposta: o homem sexualmente livre é aquele que consegue se sentir em paz mesmo não tendo ereção em uma situação em que isso fosse esperado. Desconheço a existência de muitos desses personagens, esses, sim, livres porque podem falhar sem constrangimentos, uma vez que o sexo define um contexto no qual não deve haver tensões, cobranças, exigências e obrigações. O mesmo vale para a mulher, que será livre se puder deixar claro que seu gozo é como é e não precisará ter a intensidade de suas sensações medida pelos decibéis dos ruídos que emite. Livre é o homem que pode dizer "sim", mas também pode dizer "não" a uma situação erótica. Livre é o homem que decide ser fiel à sua parceira sentimental e age segundo suas convicções. O ser humano sexualmente livre é aquele que não está preocupado com sua performance, não se compara com padrões externos nem se sente obrigado a concordar com pontos de vista divergentes dos seus.

Para que possamos pensar em liberdade, precisamos almejar ter uma razão atuante, interferindo e decidindo mais que a biologia, e não respeitando cegamente às normas e crenças da cultura em que vivemos – o que fazemos por medo de rejeição ou por não termos coragem de cometer erros, preferindo nos diluir nos equívocos da maioria. Um indivíduo livre precisa ter pontos de vista consolidados em sua mente, conceitos esses que podem e devem ser mutáveis, capazes de se adequar às novas experiências e às conclusões mais precisas que, com os anos, possamos extrair por meio de todos os recursos pelos quais os cérebros porosos aprendem.

O ser livre não segue padrões que não aprova ou estão em desacordo com as ideias que, naquele momento, lhe são caras. Repito o que escrevi no início dos anos 1980: ser livre não é ser dessa ou daquela maneira; corresponde à alegria íntima derivada do exercício da coerência, de sermos capazes de agir em concordância com o que pensamos.

leia também

DÁ PRA SER FELIZ... APESAR DO MEDO
Flávio Gikovate

Gikovate retoma o tema da felicidade com novo vigor e sabedoria. É um livro claro e bem conduzido em que ele aponta os tipos de felicidade, suas armadilhas, as bases para as alegrias da vida que levam ao bem-estar. Sua originalidade é completada com uma análise sobre o grande vilão, o medo da felicidade.

REF. 50049   ISBN 978-85-7255-049-9

O MAL, O BEM E MAIS ALÉM
EGOÍSTAS, GENEROSOS E JUSTOS
Flávio Gikovate

É uma nova visão sobre tema que tem sido motivo de reflexão do autor há décadas. Gikovate constatou que a união entre homens e mulheres se dá entre opostos (uma pessoa egoísta se encanta com uma pessoa generosa e vice-versa). A atualização do assunto mostra que a saída está na evolução de cada ser humano para atingir o estado de harmonia, formando-se assim casais entre pessoas similares e mais justas. Dá início a novo *layout* das obras de Gikovate.

REF. 50039   ISBN 978-85-7255-039-0

NÓS, OS HUMANOS
Flávio Gikovate

Nesta obra, Gikovate apresenta uma visão tridimensional do homem, em suas peculiaridades biológicas, psicológicas e sociais. Ele estuda as relações entre amor, sexualidade, vaidade e vícios, mostrando como a razão interfere nos processos sentimentais. Ao final, o autor faz uma proposta de integração, na tentativa de eliminar (ou atenuar) as tensões derivadas do conflito entre a individualidade e os anseios de integração.

REF. 50060   ISBN 978-85-7255-060-4

UMA HISTÓRIA DO AMOR... COM FINAL FELIZ
Flávio Gikovate

Graças aos avanços tecnológicos e às mudanças da vida social, vemos o fim do amor romântico de fusão, regressivo, e o crescimento da individualidade. Para Gikovate, trata-se de uma boa notícia. Ele mostra que o adulto moderno tem duas opções, ambas muito melhores do que a relação possessiva do amor convencional: viver só, estabelecendo vínculos afetivos e eróticos mais superficiais; ou formar laços que respeitem a individualidade.

REF. 50056   ISBN 978-85-7255-056-7